D1204330

L'Exilé

nouvelles

suivi de

Les Voyageurs sacrés

Marie-Claire Blais

L'Exilé

nouvelles

suivi de

Les Voyageurs sacrés

Introduction de
Pierre Filion

BQ

BIBLIOTHÈQUE QUÉBÉCOISE

Bibliothèque québécoise inc. est une société d'édition administrée conjointement par la corporation des éditions Fides, les éditions Hurtubise HMH ltée et Leméac éditeur.

Données de catalogage avant publication (Canada)
Blais, Marie-Claire, 1939-
L'exilé : nouvelles ; suivi de, Les voyageurs sacrés
Éd. originale de Les voyageurs sacrés: Montréal : HMH, 1969
ISBN 2-8940-6081-5
I. Titre. II. Titre: Les voyageurs sacrés.
PS8503.L33E94 1992 C843'.54 C92-097279-9
PS9503.L33E94 1992
PQ3919.2B52E94 1992

Couverture : infographie par Evelyn Butt

DÉPÔT LÉGAL: 4e trimestre 1992
BIBLIOTHÈQUE NATIONALE DU QUÉBEC

ISBN 2-8940-6081-5

Introduction
La lumière des mots

En réunissant neuf nouvelles publiées au fil des revues littéraires du Québec, de France, de Suisse depuis plus de vingt ans, et qui sont suivies du récit *les Voyageurs sacrés* paru d'abord aux *Écrits du Canada français* en 1962 et repris ensuite par HMH en 1969, Marie-Claire Blais propose en quelque sorte un parcours en accéléré de l'œuvre exemplaire qu'elle a livrée à ce jour. Maintenant d'audience internationale, celle-ci conserve par-delà les ans et les livres — une vingtaine d'ouvrages en poésie, roman et théâtre —, un singulier rapport avec le réel absolu qu'elle interroge jusqu'aux derniers retranchements, cherchant l'ultime réponse à l'ultime question de l'exil de la vie sur terre.

Dans ce recueil se trouvent donc réunis, selon l'ordre chronologique de publications des nouvelles, les grands thèmes de son univers: douleur de vivre, fragilité, vulnérabilité et aliénation de l'âme humaine, solitude et désolation sur terre, amour et haine, recherche de la pureté et de la bonté, atrocités de la guerre, enfer des nuits et des villes, errance des jeunes, suicide et drogue, exigence impitoyable de la vérité... Ceux-là même qui l'ont menée, dès le début de son aventure dans les jardins clair-obscurs de l'écriture, aux prix France-Canada et Medicis en 1966 avec le plus connu de ses romans, *Une Saison dans la vie d'Emmanuel*, traduit dans une quinzaine de langues.

Les personnages de ces nouvelles sont tous des exilés de quelque part, et ils doivent se battre pour s'installer dans leur nouvelle peau: ils le sont souvent de leur famille, comme cette nouvelle institutrice qui arrive à l'École du Repentir, ou encore de leur monde comme ce Christopher, modèle noir de Los Angeles exilé à Key West. Et cette amie révolutionnaire qui s'est battue pour les droits humains aux USA, maintenant rendue au seuil du grand passage, en route pour le dernier voyage. Mais l'exil qu'explore Marie-Claire Blais, c'est, encore plus que ces exils circonstanciels, l'exil de l'être humain lui-même sur terre, comme si, anges déchus, les enfants de la terre cherchaient toute leur vie ce qu'ils ont perdu en quittant le paradis terrestre de l'avant-vie. Cela donne à son univers une portée métaphysique immédiate, dont toutes ces nouvelles portent trace, car derrière les masques des événements et des circonstances des êtres de chair vivent et souffrent, qui leur dernière heure dans *Mort intime* et *Cette amie révolutionnaire,* qui des événements initiatiques déterminants, qui des prises de consciences au-delà desquelles on ne revient plus en arrière dans le passé des jours. Ces dépossédés de l'intérieur deviennent des saints et des martyrs qui essaient d'échapper au «Grand incendie qui couv[e] sur le monde» (*L'Exilé).* Devant eux, et comme pour les empêcher d'atteindre à l'essence de leur vie et de retrouver quelques parfums du paradis terrestre, des empêcheurs de vivre et des destructeurs de beauté et «de l'humanité entière» comme ce Pete de la nouvelle qui donne son titre au recueil.

Une phrase de la nouvelle *Mort intime* donne toute sa portée à ce recueil, alors que le personnage à l'article de la mort réclame sa fin: «Mon Dieu, quand donc tout cela finira-t-il?» Tout l'univers de Marie-Claire Blais interroge la vie dans son rapport intime avec la mort, dans des perspectives qui vont de la philosophie de l'émotion à l'occulte le plus intuitif. Cette phrase donne le goût de relire en entier, d'en accueillir la portée et l'amplitude qu'elle a prise avec le temps, depuis cette formidable *Belle bête* parue en 1959 jusqu'au roman exigeant de *L'Ange de la solitude*, publiée en 1989. Le parcours des titres fournis en bibliographie montre à lui seul cette amplitude et nous replonge immédiatement dans les vertiges de cette œuvre au questionnement sans fin: *Le jour est noir, Existences, Manuscrits de Pauline Archange, Vivre ! Vivre !, Les Apparences, Visions d'Anna ou le Vertige...* Il y a dans cette œuvre douloureuse des pages d'une grande luminosité, qui franchissent le miroir de l'inconscience et de la mémoire humaine et amènent le lecteur jusqu'aux rives de la conscience des dieux, dans ces fréquences de la lumière où les mots, arrachés au silence et à la peur de la nuit humaine, passent sous nos yeux comme des étoiles filantes.

Les Voyageurs sacrés

D'une structure en apparence complexe, qui se ressent des mise en forme des années 60, ce beau récit mérite d'être redécouvert. Articulé avec soin autour d'une rencontre amoureuse, il met en scène un triangle passionnel tragique, dont l'issue ne peut donc être que le suicide d'un des deux hommes, ici le mari de Montserrat, Miguel. Mort évidemment symbolique « dans la détresse des eaux », puisqu'au même moment naît à Vienne, dans les eaux de l'accouchement, l'enfant de l'amant de Montserrat, Johann Van Smeeden, ce musicien de génie.

Ce récit est l'un des plus beaux textes de Marie-Claire Blais, car au-delà de cette mise en train musicale – instant premier intermède instant second dernier instant, doublée d'une séquence temporelle – dimanche, lundi, mardi, nuit de mardi, mercredi, jeudi, nuit de jeudi, vendredi vendredi nuit, samedi, triplée d'une séquence géographique – Chartres, Bourges, Reims, Espagne, Paris, et accompagnée de quelques sous-titres musicaux – allegro vivace, allegro non troppo, cette histoire entre deux dimanches, à la mise en scène très européenne, demeure d'une grande justesse d'écriture et d'une portée universelle. L'amour peut-il survivre à la passion ? La mort serait-elle la réponse à l'amour ? Pourquoi les mots ne peuvent-ils dire ce que la musique fait vibrer si fort d'absolu en chacun de nous ? Où se cache le grand chef d'orchestre de toute la symphonie humaine ?

Le mérite de l'œuvre de Marie-Claire Blais dans notre littérature est de porter son questionnement personnel au bout des mots et de la douleur d'écrire. C'est pourquoi son travail, avec le temps, rejoint de plus en plus les âmes de la terre qui cherchent, dans leurs errances heureuses et malheureuses, la lumière de la délivrance, celle que l'on retrouve quand on revient de l'exil sur terre.

Pierre Filion

La nouvelle institutrice*

— Où est-ce qu'il habite c'tet inspecteur d'école?[1] demandait Judith Prunelle à l'abbé Philippe Rougement qui secouait d'une main sa soutane, et de l'autre, sortait sa bicyclette du marais, je me suis égarrrée, Jésus-Marie!

— Un peu plus bas, dit l'abbé, je ne suis pas sourd.

Telle faisait son entrée dans le village perdu, la nouvelle institutrice de l'École du Repentir (l'absence de maître d'école, depuis trois ans, obligeait l'abbé Philippe à aller enseigner le catéchisme aux enfants dans leur maison, poursuite décevante et inefficace, car il n'avait pas trouvé une seule famille qui veuille l'accueillir, à l'exception de grand-mère Antoinette, qui, elle aussi, voulant sans doute cacher les abîmes de sa pauvreté, recevait l'abbé sur le seuil, croyant boucher les trous de sa maison, en dressant devant l'abbé, sur le perron, comme pour lui interdire d'entrer, sa longue silhouette sévère qui, pensait-elle,

---

* *Les Lettres Nouvelles*, Paris, déc. 1966-janv. 1967.

1. Extrait d'un roman: *Testament de Jean-Le Maigre à ses frères*.

pouvait jeter un mur d'ombre sur le dépouillement des siens). «Ah! Mon Dieu, quelle institutrice vous nous envoyez là!» pensait l'abbé en regardant cette jeune fille, debout au milieu de la route, sa valise trouée à la main, disant dans son rauque jargon: «Jésus-Marie-Joseph, où est-ce que chue tombée?» Du ciel, sans doute, dans un nuage de poussière qui la recouvrait encore des pieds à la tête, entraînant avec elle, tous les saints et saintes qu'elle pouvait nommer (Saint-Chrysostome, Saint-Luc et Saint-Paul), unissant tous ces mots les uns aux autres dans une mâcheuse provocation qui contenait aussi les vases sacrés des églises («Tabernacle, je voudrais ben m'en aller»), ne voyant le langage qu'à travers un prisme de blasphèmes dont les riches couleurs, les ors et l'encens animaient sa révolte, réveillaient sa vive imagination de charretère.

— Mon enfant, dit l'abbé, en haussant les épaules, je vous prie de soigner votre langage.

Mais indifférente à cet homme en qui elle ne voyait qu'un petit garçon, un camarade qu'elle pouvait dominer, en lui lançant son poing osseux au visage, (Judith n'ayant connu depuis l'enfance que ses huit frères batailleurs et méchants, heureuse en compagnie des bûcherons plus qu'en celle des jeunes filles de son âge, fière et méprisante, car elle portait en elle une insatiable vigueur que cachait bien l'agressivité de ses os — la jeune fille vivant à l'écart ou ne vivant pas du tout, parfois, elle ne faisait que de rares apparitions sur les traits de cet adolescent sauvage qui jurait et crachait à tout vent, mais c'était cette jeune fille, tout de même, qui avait obtenu, dans une école obscure, ce diplôme jauni que Judith Prunelle sortait maintenant de sa poche d'un air satisfait... «Maîtresse d'école, hein, je vous l'avais ben dit...») «Je parlerai ben comme je veux, Joseph-Marie», disait Judith Prunelle en menaçant le curé, du poing...

Un fleuve d'injures coulait donc sur la face pâle de l'abbé Philippe: «J'aime pas les prêtres, y m'ennuient.»

L'abbé Philippe se résigna enfin à écouter en silence, les yeux clos. Tous les jurons prononcés avec ferveur, Judith se tut, et après un silence, demanda l'heure et des nouvelles de l'Inspecteur Général des écoles.

— Je regrette, dit l'abbé, je ne sais pas où il habite, je suis nouveau, ici. Je ne suis pas sûr même si nous avons un Inspecteur Général.

Judith ne voyait pas son école sans un inspecteur, d'ailleurs on lui avait recommandé dans son village (elle montra à l'abbé une lettre signée par le maire de Sainte-Félicie-du-Bord, une lettre illisible à laquelle l'abbé feignit de s'intéresser...) de frapper à la porte de l'Inspecteur Général pour y trouver le gîte.

— Vous pouvez venir chez moi, dit l'abbé, en rougissant. Il y a une petite chambre et une cuisine, pas de feu dans la chambre, au printemps, mais il ne fait pas encore très froid...

S'étant subitement laissée choir sur sa valise, les jambes allongées devant elle, les bras croisés, Judith Prunelle expliqua, de sa voix de jeune homme à la mue, qu'elle n'avait besoin de personne, qu'elle trouverait bien où loger, et arrachant son béret d'une main brusque, elle se gratta la tête.

— Et ben, vous, qu'est-ce que vous faites là à me regarder?

— Je me reposais, dit l'abbé, maladroit. Je reviens du catéchisme. Mais je m'en vais de ce pas... C'est le jour des confessions...

Avant de sauter sur sa bicyclette, il sembla hésiter quelques instants, puis il dit dans un souffle à Judith Prunelle qui le regardait encore d'un air maussade :

— Nous pourrions peut-être faire un échange. Oui, vous me trouvez des élèves pour le catéchisme et je vous offre mon toit, et des cours de grammaire.

— Pas besoin de grammaire, dit Judith Prunelle, pas besoin de vous.

— Les mathématiques, peut-être ?

— J'connais mon calcul, dit Judith Prunelle, pas besoin de vous !

— Ah ! bon, dit l'abbé, puisque c'est comme ça...

L'abbé partit vers les buissons. Judith Prunelle entendit une voix inquiète qui disait au loin : « La nuit approche, il faut rentrer... » et elle répondit au hasard pour remplir le silence : « Pas peur... pas peur de la nuit », mais lorsqu'elle fut seule sur la route, et qu'elle ne vit plus que les champs noirs devant elle, le ciel assombri, lorsqu'elle entendit le murmure des feuilles dans le vent, elle se mit à trembler soudain, soupirant toutefois avec espérance : « Et ben, c't'inspecteur, Jésus-Marie, y faut que je le trouve. »

Et elle repartit.

L'école était fermée. Judith Prunelle l'ouvrit. L'Inspecteur Général n'était pas là. Judith Prunelle décida de faire son lit sur le plancher nu de l'école.

— Jésus-Marie que c'est fret, gémit-elle, toute la nuit, se recouvrant la tête de son manteau, le cou tordu contre sa valise dont elle se servait comme oreiller — demain à l'aube y faut que j'allume ce damné poêle d'enfer ! Et pis que je trouve des élèves. Sans élèves, pas d'école. À quoi ça sert un diplôme, j'me demande, mon père avait ben raison, le Nord c'est si creux, enfer, on n'a pas besoin de diplômes ! Je vas ti leur en faire entrer de l'histoire et de la géométrie dans leurs petites têtes, che connais toutes les dates par cœur, ouais, chu pas une idiote comme y pensait, c'te petit curé d'enfer ! Chu ben maline, y va voir. Charles II le Chauve, Charles le Gros, Charles III, Charles Le Bel, che les connais tous sur l'bout des doigts, oui, M'sieur le Curé... Et pis Charlemagne aussi ! Mais on gèle à ne pas y croire, et j'ai pas de mitaines. Ma valise est pleine de carottes, Vierge Marie c'est ben utile mais pas chaud ! Et pis y a Charles IX et Charles X, je vais les battre les p'tits damnés d'ignorants, puis on mangera des carottes en chœur. Sapristi, je me rappelle que tous les gars du village pleuraient comme des veaux en m'regardant partir. Et pis, ils ont enlevé leurs casquettes, ça c'est l'respect, Jésus ! P'têtre que j'aurais ben dû r'tourner dans le bois et scier des arbres, oui, le soleil est ben chaud par là ! J'buvais de la bière ouais mais chétais toujours maigre comme du céleri, plus j'en buvais plus chétais maigre. Et Charles le Téméraire, y faut au moins qu'y connaissent celui-là... je vas les taper à la baguette si y comprennent pas... ben, si c'est pas le soleil qui apparaît, Jésus- Marie, c't' une surprise, hein, chu ben contente, che vais le secouer un peu et manger une carotte, pis rentrer l'bois... ça c'est la belle vie ! libre comme un oiseau, hein, et pis payée avec ça ! si au moins y arrivait ce damné Inspecteur Général !

Assise à son pupitre poussiéreux, les cheveux cachés sous son gros béret de laine, Judith Prunelle mangeait une carotte. Elle était précisément assise sur le passé de l'École du Repentir, sur l'une de ces planches de l'école où Jean-Le Maigre et le Septième avaient brutalement inscrit leurs noms au couteau, autrefois et signé au crayon noir leur confession amoureuse. («Jean-Le Maigre aime Marthe-la-petite-bossue, à la vie comme à la mort.» «Le Septième prie Mademoiselle Lorgnette de l'attendre après l'école...» «Chère Madame Casimir, auriez-vous la bonté de me donner une allumette, vous dont le corsage déborde de trésors...») Cette allumette fatale devait servir à allumer la révolte et faire flamber l'école, mais cela, Judith Prunelle l'ignorait encore. La nouvelle institutrice balançait mollement ses jambes dans le vide, et accueillait non sans bonheur le faible rayon de soleil qui tombait sur ses genoux glacés.

— Et ben, Mon Dieu, pour du soleil, ça c'est du soleil, merci quand même St-Joseph! Chétais en train de mourir de fret dans c'te place, c'est ti pas cruel en Jésus! Y faut aussi que je leur passe quelques Charlottes... Charlotte Élisabeth, Charlotte de Nassau, tout ça, c'est du grand monde, et que che trouve un tapis pour mon école. On essuie ses pieds avant d'apprendre l'Histoire. Ces p'tits crottés y faudra aussi que che leur apprenne les bonnes manières. Pis que che lave ces damnées latrines. C'est ben honteux de m'recevoir comme ça, sans un mot de bienvenue d'la part de l'Inspecteur Général des écoles. Et ben, ce que che pense c'est qu'y m'attendaient plus depuis l'temps déjà, y m'ont oubliée. Jonas'che va leur donner de la mémoire à coups de baguette, y vont voir...

Il était six heures du matin lorsque Judith Prunelle rentra des champs avec une brassée de bois tiède et une brassée d'enfants, car l'institutrice avait arraché à leur sommeil, dans une grange humide infestée de souris, toute une bande de gamins qui s'étaient réfugiés là pour la nuit, fuyant un grand-père ivrogne qui menaçait de les tuer, et une mère hagarde qui, à cette heure encore, sans doute, selon son habitude, parcourait la route à pieds, demandant l'aumône aux arbres silencieux («L'aumône pour l'amour du bon Dieu, mon père est un ivrogne, mon mari est malade, mes petits enfants n'ont pas de souliers») et au ciel sans nuages, une protection divine qu'un ciel aussi paisible ne pouvait accorder.

— Maman était en train de traire les vaches, expliquait Joséphine Poitiers à l'institutrice, une main accrochée au manteau de Judith Prunelle — et puis tout à coup, comme ça, elle a perdu la raison, et depuis ce jour-là elle ne l'a pas retrouvée. C'est dans la famille, dit Grand-Papa, poursuivait toujours Joséphine Poitiers en marchant aux côtés de l'institutrice accablée d'enfants.

— Tu veux que che tombe, ma p'tite, hein, tu veux me cheter dans la boue avec tous tes damnés p'tits frères hein?

Mais Joséphine n'en continuait pas moins de tirer Judith Prunelle par la manche et d'expliquer avec lenteur:

— Ce sont des choses qui arrivent, Mademoiselle. C'est une grande faveur du bon Dieu de vous avoir à l'école. Nous allons bien apprécier. J'ai eu une apparition hier, dans la grange. Notre-Dame m'a dit que vous alliez venir...

— Che comprends pas un mot de ce que tu racontes, ma p'tite, dit Judith Prunelle, d'un ton sec, et brusquement elle remit les enfants par terre. «Chue pas dans c'te place pour sauver les orphelins, Jésus-Marie, y faut que che m'occupe de mon école!»

— Mais elle guérira, dit Joséphine Poitiers avec sagesse. Bien qu'elle eût toujours été pauvre et fréquemment battue par son grand-père (« Grand-Papa nous aime, disait encore Joséphine en prenant ses petits frères par la main, ce n'est pas sa faute, il veut toujours nous battre quand il a bu... »), Joséphine n'avait aucune de ces marques, de ces cicatrices profondes que l'on reconnaît sur le visage des victimes et qui distinguent si simplement les malheureux éternels des malheureux éphémères. Sale des pieds à la tête, toutefois, (l'institutrice apercevait déjà la raie de poux qui séparait de leur ombre, les tresses de la petite fille communément appelées « queues de rats ») épousant la malpropreté comme un costume gracieux, Joséphine surprenait par ses manières délicates, et les grands yeux de porcelaine qu'elle ouvrait pour dire des phrases solennelles qui semblaient venir d'un autre monde, et surtout, d'une autre personne.

— T'as l'air de penser que t'es une dame, Jésus-Marie ! chue pas sûre qu'on va se comprendre, dit l'institutrice, avec une impatience sauvage, et pis d'abord chai pas assez de carottes pour vous autres, toute la famille, comment y s'appelle c'lui là, ajouta-t-elle, en désignant le plus petit des garçons qui se mouchait dans ses doigts, y a pas l'air ben intelligent...

— Chester, dit Joséphine Poitiers, très poliment, et lui aussi a perdu la raison, mais c'est de naissance, dit grand-papa. Il y a beaucoup d'idiots dans le village, Mademoiselle. Il faut s'habituer. Mais chez nous, c'est de famille. Chester, ne te mouche pas devant Mademoiselle, elle n'aime pas ça.

— Y peut se moucher tant qui veut, dit Judith Prunelle, chue pas une princesse à ce qu'y paraît...

Mais ouvrant la porte de l'école avec emphase elle s'écria:

— Et ben Jésus-Marie, ça y est, je l'ai mon école... Che vais commencer tout de suite pendant qu'y fait chaud!

Et Joséphine, Chester, Marie-Ange Poitiers (ainsi que Hector Poitiers) tous assis en rond autour de Judith Prunelle, l'écoutèrent parler de la Création du Monde, sujet favori de l'institutrice.

Pendant que Judith Prunelle créait le monde, en brandissant ses poings maigres contre le tableau noir, Chester Poitiers imaginait sa mère, errant par les champs, écorchant ses pieds nus contre les pierres de la route: ses pieds sanglants allaient seuls sur la route blanche. Joséphine souriait, disait parfois à l'oreille de Chester ou d'Hector: «Ne fais pas tant de bruit avec ton nez, Mademoiselle n'aime pas ça.»

Judith Prunelle interrompait sa leçon pour dire brièvement:

— Jésus-Marie c'est pas un nez qui m'trouble. Fais bien l'bruit que tu veux, Chester, j'entends pas.

Joséphine se levait pour donner une explication, Mademoiselle la priait de s'asseoir, la leçon continuait, Chester fermait les yeux.

— Imaginez-vous qu'y avait pas un singe, pas un champignon, pas une goutte de pluie! Vous pouvez pas imaginer ça, j'parie! Et ben, c'était vide, partout! Pas même une fourmi, pas même une chenille!

— Et Dieu a créé le monde en sept jours, dit Joséphine Poitiers, et au septième, il s'est reposé. C'est Monsieur le Curé Lacloche qui me l'a dit. C'est Notre-Dame, aussi, elle m'a parlé hier. Elle était debout sur le fumier, elle était belle, elle avait des cheveux d'or. Elle a dit: «Joséphine veux-tu faire bouillir du lait pour mon bébé qui a soif?» J'ai couru à la maison. Il n'y avait plus de lait. Quand je suis revenue, Notre-Dame n'était plus là.

— Veux-tu ben t'asseoir, dit Judith Prunelle, en faisant tomber Joséphine de sa chaise, c'est pas une classe, c'est une porcherie!

— Je l'ai vue quatre fois dans la grange, dit Joséphine Poitiers. Elle a promis de revenir. Elle a dit: «Joséphine, tu seras bien malheureuse. À ta place, je cacherais mon pain sous ma paillasse, le soir. Parce qu'il y aura une famine dans le village. En attendant, fais tes prières.»

— Et il n'y avait pas de fumée, pas de feu, en ce temps-là, poursuivit Judith Prunelle, avec passion, y avait rien... pis tout à coup, ça a commencé tout seul, comme quelqu'un qui se met à rire dans la nuit, les ruisseaux, les mers, les fleuves, tout ça s'est mis à bouillir comme de la rage dans l'cœur, comme de la soupe au lait qui déborde de la casserole, mes enfants, c'était beau à voir. «Le lion dormait près de l'agneau, interrompit Joséphine, le loup dans les bras des biches. Notre-Dame a versé beaucoup de larmes. Il faut vous dire Mademoiselle que mes petits frères ne se lavent pas souvent. Mais il y a beaucoup de gens qui ne se lavent pas, dit mon grand-père. Alors j'ai demandé à Notre-Dame quel était son nom. Elle a dit: «Joséphine, je m'appelle Notre-Dame-Des-Petits-Sous».

Marie-Ange et Hector dormaient sur leur banc. Chester, dont la tête carrée dépassait les autres, semblait méditer sous ses cils longs et ombreux comme des parapluies. Tandis que l'institutrice abondait en images ruisselantes et que les mers franchissaient leurs rivages, la salive coulait de la bouche de

Chester, calmement, mais avec ampleur, puisque le col de sa chemise en était trempé.

— Ce n'est rien, Mademoiselle. Il bave. C'est dans la famille.

— C'est dans la famille, semblait dire Chester, en hochant la tête.

Mais comme Joséphine parlait inlassablement, et avec une sagesse si modérée, ses frères, déjà encouragés par la paresse de leur esprit, n'ouvraient jamais la bouche, sinon pour dire: «Oh! Joséphine!» avec un étonnement profond, et encore le disaient-ils rarement. Peu à peu, ils en viendraient à ne rien dire du tout, et pour ce qui en était du pauvre Chester, à baver de plus en plus, ce qui justifiait la prophétie de Notre-Dame à Joséphine:

— Joséphine, ton frère Chester a une bien grosse tête pour son âge, il finira mal. Il sera l'idiot du village, j'espère que cela ne te chagrine pas trop. Alors j'ai dit à Notre-Dame: «Vous avez bien de la chance, vous, que votre bébé n'aie pas une grosse tête comme Chester.»

— Les poissons dansaient, dit l'Institutrice, et pis les oiseaux aux ailes fines comme du papier ça volait partout dans l'printemps, y avait aussi des girafes qui marchaient ben doucement sur la pelouse fraîche sans bruit sans bruit. (Est-ce qu'il y avait un ciel au-dessus, demandait Joséphine, se levant pour poser sa question, est-ce que le bon Dieu était là assis sur son trône de nuages? Oui, il était là, répondit pour elle-même Joséphine qui savait tout, il a dit: «Mes chères montagnes, mes chères collines...»)

— Aux latrines, s'écria Judith Prunelle, en poussant Chester vers la porte, si c'est pas honteux dans ma classe l'premier jour, pendant l'création du monde, au milieu des orages et de la foudre...

— Ce sont des choses qui arrivent, Mademoiselle, dit Joséphine, en essuyant une flaque douteuse sous le banc — il faut vous dire Mademoiselle que cela lui arrive souvent. Mais j'ai toujours les poches remplies de mouchoirs.

Joséphine bavardait encore comme une lente cascade de montagne, quand l'Abbé Philippe parut sur le seuil de la classe, une couverture de laine sous le bras, levant sur Judith Prunelle un œil terne qui était celui de l'insomnie:

— Mon enfant, dit-il, d'une voix presque sinistre, je viens d'administrer le pauvre Horace. Il a rendu le dernier soupir entre mes bras.

Ne sachant quoi répondre, Judith eut une moue dégoûtée puis elle dit froidement:

— Et ben, M'sieur le Curé, j'le connais pas moi c't Horace! Et pis tout l'monde meurt par ces jours... Jésus-Marie! Y faut ben passer par le cercueil, vous comme moi, hein? C'est pas ma faute si y est mort c'te homme! («Un moment de silence» suppliait l'Abbé Philippe en se touchant la tête, «un petit moment, je vous prie...») et pis c'est tout c'que vous trouvez à m'dire pour mon école? Moè qui attendais toutes vos félicitations, et ben chue ben déchue...

— Je vous félicite, dit l'Abbé, c'est admirable! Surtout à sept heures du matin. Je m'excuse de venir vous ennuyer pendant la classe, mais j'ai pensé que vous aviez un peu froid et...

Judith arracha la couverture de laine des mains de l'Abbé, puis murmurant un merci rapide, elle ajouta aussitôt:

— Vous auriez pas pu penser à m'apporter du pain, non? Ces p'tits crotteux d'enfants y faut qui mangent. Assis tout l'monde, hurla Judith Prunelle aux enfants qui s'étaient levés pour saluer le prêtre. «Che veux pas de cérémonies à cause d'un prêtre!»

Seule Joséphine resta debout:

— Je m'appelle Joséphine Poitiers, dit-elle avec autorité. C'est une bien grande faveur du bon Dieu de vous avoir dans notre paroisse, Monsieur l'Abbé. Nous allons bien vous apprécier. Le village est bien triste depuis le départ de Monsieur le Curé Lacloche. Tout le monde pleure. Mais aussi, tout le monde est content, dit Grand-Papa. Eux s'appellent Chester, Marie-Ange et Hector Poitiers. Ils n'étaient pas avec moi dans la grange quand j'ai vu Notre-Dame tout habillée de rouge, tenant son bébé dans ses bras.

— Notre-Dame? demanda l'Abbé, surpris.

— Mais oui, dit Joséphine, Notre-Dame-Des-Bleuets. Elle s'est assise près de moi sur la paille, nous avons mangé des bleuets.

— Nous reparlerons de tout cela, dit l'Abbé calmement. Est-ce que tu sais tes prières, est-ce que tes petits frères ont suivi leur catéchisme avec Monsieur le Curé Lacloche?

— Je leur ai fait l'école, dit Joséphine, j'ai aussi fait l'école à Monsieur le Curé Lacloche quand il venait à la maison boire avec Grand-Papa Poilu. Mais Grand-Papa m'a dit de ne pas vous parler, parce que vous, vous ne buvez pas.

— Alors, c'est ça, dit l'Abbé, taisons-nous.

Mais Joséphine pérorait comme un oiseau sur la branche:

— J'aimerais beaucoup me confesser, dit Joséphine. Je connais tous les péchés des autres. (Chester, essuie ton nez, Monsieur l'Abbé n'aime pas ça.) J'ai rencontré Notre-Dame-Des-Pois-Verts, dans le champ, l'autre jour. (Chester, ton nez!) Elle avait perdu son écuelle. Elle m'a dit: «Joséphine, tu devrais fonder un couvent, ici même parmi les pois et les radis, et réunir autour de toi tous les idiots du village afin de les instruire dans la loi du Seigneur...» Et alors j'ai vu du feu dans le ciel. Notre-Dame m'a dit: «N'aie pas peur, Joséphine, c'est le dragon de la foi qui descend sur ta maison. À ta place, j'irais voir à la cuisine si mon grand-père n'a pas l'haleine en feu.» J'ai couru à la maison. Grand-Papa avait bu toute une bouteille de whisky. Alors, pour l'endormir, je lui ai raconté l'histoire de Saint-Gondrian. Ah! Saint-Gondrian, dit Grand-Papa, bien sûr que je le connais celui-là, comment va-t-il? Mais à propos, Joséphine, où elle est ta mère? Elle devient si grosse, dit Grand-Papa, qu'est-ce que nous allons devenir? Si je n'étais pas si saoul, j'irais à sa recherche... J'ai pris la main de Grand-Papa. J'ai dit: «Allons chercher maman, Notre-Dame me dira bien où elle est. Notre-Dame me dit tout.» Grand-Papa dit en pleurant: «De nos jours, les saints ne font plus de cadeaux. Autrefois ton petit Saint-Gondrian mettait une bouteille de whisky chaque matin sous mon oreiller. J'ai dit: «Grand-Papa, marche droit. Qu'est-ce que maman va penser si elle te voit comme ça?

— J'ai un fusil, dit Grand-Papa, Papa... Pa... je peux tous vous faire éclater la cervelle... et puis silence, je bois en paix. Il y a trop d'enfants en ce monde. Je voudrais dormir pour l'éternité. Ronfler de bonheur. (Grand-Papa pleurait beaucoup, il avait tant de peine d'avoir tué sa petite Joséphine.) Tiens, la voilà, ta mère, dit Grand-Papa en essuyant ses larmes pour mieux la voir, Rose, viens à moi, je t'ouvre mes bras, ma maison, mon cœur, qu'est-ce qui t'arrive ma Rose, t'as l'air bien étrange, où est-ce que tu as coupé tes pieds comme ça?

— Ma petite Joséphine, disait Maman, assise au milieu de la route, as-tu soigné la vache? As-tu fait bouillir le lait pour le bébé? Il faut vous dire, Monsieur le Curé, qu'en arrivant à la maison, nous avons essuyé le sang qui coulait des pieds de maman et nous l'avons mise au lit. Mais soudain, Grand-Papa est devenu tout noir de colère et décrochant le fusil sur le mur, il a dit:

— Et Chester, où il est, Chester, je m'en vais le tuer ce gamin?

Chester, Chester, gémissait Joséphine, pleurant soudain sur son récit — au désarroi de l'Abbé Philippe et de Judith Prunelle qui la regardaient —, Chester, Grand-Papa a fait des trous partout dans sa peau...

Voyant qu'il était mort, Chester se mit à pleurer à son tour, et tous les enfants Poitiers l'imitèrent bruyamment, si bien que Judith Prunelle dut frapper deux grands coups de baguette au tableau noir et commander le silence par la force: «Jésus-Marie, cria-t-elle, où est-ce que chue tombée? Voulez-vous ben me dire, vous Monsieur le Curé, ce qu'on va faire vous et moè avec c'te école!»

L'Abbé Philippe haussa les épaules sans répondre.

Un acte de pitié*

Le curé de Vallée d'Or avait bien senti croître en lui ces complaisances nées d'une longue ambition, d'un orgueil pieusement entretenu. Ne frémissait-il pas d'une joie secrète lorsque répandant autour de lui sa rigide compassion, il sentait l'humble reconnaissance de ses pauvres se transformer en murmures élogieux: «Ah! M'sieur le curé, c'est ben le meilleur homme de la terre», «On aura ben jamais eu un curé comme ça en cent ans...» Pourtant, ce matin-là, en marchant vers la cabane des Sansfaçon, il savait que la mort l'attendait là-bas, sur cette colline, qu'il allait vers Maria, non plus pour l'amuser ou lui raconter des histoires qui la soulèveraient de rires dans son lit fiévreux, mais pour la bénir une dernière fois en lui fermant les yeux. À cette pensée, un sentiment de lassitude l'envahit, comme s'il comprit que même l'apparence de sainteté — cette ardente réputation dont il jouissait dans le village — n'était rien, puisqu'il en était indigne, et que depuis cinq années de ministère, la pitié n'avait jamais vraiment pénétré son cœur. Oui, il avait aimé

---

* *Douze écrivains, douze nouvelles*, Liberté-Ici Radio-Canada, mars-avril 1969.

Dieu, dans une ferveur agréable à sa fraîche vanité de prêtre, mais il n'avait jamais pu approcher les hommes simplement et sans dégoût. Il pensait à la pâle vie de Maria qui allait bientôt s'éteindre dans un lit souillé, comme tant d'autres de ces jeunes vies emportées par la consomption dans le village, et ce même dégoût le faisait frémir. «Mais il est trop tard, pensait-il, j'ai trop aimé l'image fausse que l'on a de moi...» Combien de fois n'avait-il pas feint la charité, la compassion, l'amour même, répudiant au fond de lui l'effroyable nausée devant l'infirmité d'autrui, le cœur durci par un dédain de prince, mais faisant le bien pour s'enivrer plus tard de ces paroles: «Notr' curé, c'est Jésus sur la terre...» Mais cet idéal de supériorité douce avait bien exigé quelques sacrifices. Il n'avait pas vécu dans un bien-être gras comme plusieurs de ses confrères des paroisses voisines. Il ne possédait désormais qu'un toit où dormir, mais il lui semblait pourtant que son dénuement s'accompagnait d'une trop grande estime de soi, d'une forme de plaisir dans l'austérité et l'abstinence qu'il eût bien voulu désapprouver mais dont il était avide. À la table sans pain de ses ouailles, il avait su jeûner lui aussi songeant toutefois au léger repas qui l'attendait à son retour, le soir, et s'il avait partagé le silence de la faim, c'était surtout en pensant à lui-même, à son image sanctifiée aux yeux des autres, sans se laisser émouvoir par la misère des taudis qu'il visitait.

Des champs maigres, un village écrasé de sécheresse sous le ciel brûlant, des enfants qui mendiaient comme des chiens dès qu'il apparaissait, était-ce donc cela le frêle empire dont il avait rêvé? Mais la seule mendicité qui l'offensait était souvent celle qu'il ne pouvait apaiser: la pitié, toujours il la refusait. «Est-ce ma faute si un mur de glace s'est élevé entre eux et moi ?» «S'il y a toujours entre nous la distance du privilège ?» «Non, plus que cela», pensait-il, plus que cette distance de l'inquiet dégoût: il les méprisait. Ces femmes asservies, ces hommes sans âge qui se résignaient à la mort précoce de leurs fils, comme aux ravages des saisons, ne lui inspiraient aucune compassion.

— Ah! M'sieur le curé, nous n'avons pas d'chance cette année... Mais lui savait qu'il régnait sur des vaincus. «Oui, des hommes déjà tués qui ne luttent plus» pensait-il en marchant d'un air accablé... «Et eux non plus n'ont jamais eu pitié de moi, ils m'ont écrasé de leur confiance, de leur ignorance surtout, ils m'ont révélé leur malheur sans même vouloir en guérir...»

— Ben, bonjour, m'sieur le curé, vous allez donc chez la p'tite Sansfaçon ? Ça meurt vite de c'te côté du village, y a contagion.

— M'sieur le curé, y paraît même que le bébé des Létourneau s'meurt aussi.

Tournemule se mit à rire. «Ah ! M'sieur le curé, aussitôt né, aussitôt mort, venez donc nous voir, ma vieille mère voudrait ben vot'tre sainte bénédiction avant d'monter au paradis.»

— Je viendrai demain, dit le curé, maîtrisant sa colère en pensant qu'un si beau paysage créé par Dieu (il regardait la mer qui se dessinait au loin, de l'autre côté des champs brûlés, des arbres sans fruits...) que ce paysage qui promettait la sérénité, le bonheur ne contenait qu'accablement, pourriture.

— Rentre chez toi, Tournemule, ta mère est seule. Dis-lui que je viendrai demain.

Mais Tournemule s'accrochait de deux mains grises à la soutane du prêtre.

— Que veux-tu donc? demanda-t-il.

Tournemule ne le savait pas. Une caresse misérable, un regard? Le curé inclina légèrement la tête vers le front de l'aveugle mais il prit garde de ne pas le toucher ni de rencontrer ses yeux meurtris sous les lourdes paupières égarées.

— Tu n'es plus un enfant, Tournemule, allons, rentre chez toi.

Il avait parlé d'une voix ferme mais encore vibrante de cette charité simulée qui rassurait l'humble Tournemule dans sa cage d'ombre et de nuit, d'où lui parvenaient encore les cris malades de sa mère... «Tournemule, où est-ce qu'il est c' Tournemule? Y me laisse seule, Tournemule! Tournemule!»

— Vous voyez, M'sieur le curé, elle m'appelle jour et nuit. Pas de paix, M'sieur le curé, elle cesse pas d'hurler mon nom la pauvre mère.

— Aie pitié, dit le curé, d'un ton froid où il sentit passer le dédain, et il s'éloigna tandis que Tournemule étouffait des murmures étranges entre ses doigts.

Avant de frapper à la porte des Sansfaçon, il s'arrêta un instant sur le seuil. Il tremblait d'angoisse devant ces intimités de souffrances et de deuils que lui révélaient les maisons de Vallée d'Or. Dans le ciel d'un bleu sombre, un lointain nuage se figea: l'air était si chaud que l'on respirait à peine. Des nuées de mouches bourdonnaient sur un amas d'ordures dans le jardin. «Pas une fleur, pas un oiseau, partout la sécheresse et la mort...»

— Qu'est-ce que vous faites là dans c'te chaleur, M'sieur le curé? s'écria une voix de femme, y faut vite lui donner l'Extrême-Onction, M'sieur le curé, elle a perdu beaucoup de sang...

Il ne pouvait plus fuir maintenant. La femme l'entraînait dans la maison. Sans lever les yeux, il marcha vers le lit de Maria, écartant d'aigres enfants sur son passage, respirant l'odeur de l'homme asservi, abandonné.

— Le médecin n'est pas venu? demanda le prêtre.

— Pas besoin de médecin, dit la mère, la p'tite va mourir.

— Y meurent comme d' la vermine, dit le mari qui berçait l'un des petits sur ses genoux, j' comprends pas ce qui leur arrive en été, on dirait qui étouffent...

— C'est l' soleil, dit la mère, tristement. Elle vint s'asseoir au bord du lit de son enfant et lui caressa les cheveux tout en chassant les mouches.

— Maria, il est venu, ton ami, M'sieur le curé est là, fais pas la tête, ouvre donc les yeux...

Bientôt la mère reprit de sa voix impatiente et fatiguée:

— Elle qui était un ange, M'sieur le curé, elle est ben méchante, soudain, têtue à damner un saint, Maria, t'entends ce que j'te dis?

— T'entends ta mère? reprit le mari, non sans un accent de tendresse douloureuse qui surprit le prêtre, t'entends donc pas ta mère, Maria?

Le prêtre fit un geste, implorant le silence autour de Maria. Il s'approcha de l'enfant et voulut toucher sa main mais il la retira aussitôt. «Elle ne m'aime plus, pensa-t-il, elle sait tout de mon combat, elle connaît la rigidité de mon cœur comme Dieu la connaît.» Effrayé par le silence de Maria et le farouche regard qu'elle leva soudain vers lui, il prononça quelques paroles dont il regretta aussitôt la maladresse:

— Maria, tu souffres beaucoup?

Elle se mordit les lèvres et ne répondit pas. Elle sembla, même, un instant, oublier la présence du prêtre et regardait s'agiter de vains rayons de lumière sur le lit.

— Tu te souviens, dit-il, quand nous étions amis...

Non, elle ne se souvenait pas. S'il était son ami, comment pouvait-il la laisser mourir ainsi? Comment pouvait-il bénir les tortures qu'elle éprouvait?

— C'est p'tête ben la crainte de l'enfer, dit la mère.

— Que Dieu te protège, dit le prêtre, avare de ses paroles de consolation, car il savait qu'il ne lui restait plus qu'à confier Maria à Dieu. Il était trop tard. Ou il était trop tôt, peut-être, l'heure de la pitié n'était pas venue. «Combien de fantômes d'enfants dans ces limbes de dégoût? Tous me hantent, et pourtant, je ne les ai jamais aimés...» Il contemplait Maria, perdu dans l'obstination rêveuse du regard tourné vers lui, oubliant que la malade avait cessé de vivre depuis quelques instants déjà, perdu dans son oubli, dans cette amère indifférence où l'appel d'un corps étouffé, haletant sous les coups d'un bourreau invisible, ne le rejoignait plus...

— Maria, Maria, dit la mère à voix basse...

— T'entends donc plus ta mère? dit le père, au fond de la pièce.

Et au son de sa voix forte et implorante, l'enfant qu'il tenait sur ses genoux se mit à pleurer; le père gifla le bébé qui se tut. Mais un autre enfant aux cheveux jaunes se mit à pleurer. Le père eut un regard las mais ne dit rien.

— Morte, dit la mère.

Les enfants s'approchèrent du lit. Ce spectacle familier ne les effrayait pas. Tous regardaient le filet de sang qui coulait de la bouche silencieuse de Maria. « Des hommes dégénérés dès l'aube, pensait le prêtre tristement, porteurs de vermines, de maladies, de corruption... » Mais eux se pressaient autour de lui, le suppliant de leurs yeux affamés.

— Ah ! M'sieur le curé, n'partez pas !

Il se rappela soudain un mauvais rêve de ses nuits. C'était le dimanche matin, au moment de la communion. De nombreux fidèles étaient à genoux devant lui, attendant l'hostie : ils ouvraient leurs bouches d'une manière excessive qu'il jugeait indécente, car en se penchant vers ces visages misérablement offerts, on pouvait voir jusqu'au fond de leur gorge infectée de plaies. À peine posait-il l'hostie sur la langue d'une vieille femme de Vallée d'Or, qu'elle montra aussitôt les dents, comme une bête furieuse. « On me dévore, pensa-t-il, on me mange. » Il sortait de ce rêve, glacé d'angoisse et de peur. Il reconnaissait là tous les signes de sa faiblesse. Ce n'est pas Dieu qu'il devait donner en nourriture, mais lui-même. Et il ne se donnait pas. Pourtant, on le dévorait pendant son sommeil. Il devrait consentir à se perdre un jour dans le malheur des siens, (« Les miens, pensa-t-il, pourquoi ? Ils me sont plus étrangers que moi-même. ») à disparaître totalement dans leur misère au point de ne plus exister. (« Mais une telle compassion serait un suicide et je veux vivre... »)

Quittant la maison de Maria, il entendait encore les sanglots discrets de la mère derrière lui. Ah !

retrouver la fraîcheur de son église, s'abandonner à la solitude... Il faisait trop chaud pour prier, pour vivre même. Il avait encore soif, une soif violente, soudaine, mais l'eau était rare en ce pays calciné. Il lui arrivait de penser alors qu'il vivait dans une sécheresse plus grande que son refus de souffrir. N'était-il pas abandonné de tous, de Dieu même? Comme son église, il vivait inhabité, dans un détachement austère que rien ne pouvait troubler. Le Christ mourant sur sa croix ne représentait rien de plus qu'une image de cette souffrance injustement partagée. Il fixait la croix comme il avait regardé le visage de Maria quelques heures plus tôt, en songeant: «Quand donc toute cette agonie finira-t-elle?»

Au pas intense de sa jeunesse, de son amour sacrifié du bonheur, de la joie, il eût voulu s'éloigner à jamais de toutes les misères qu'il avait vues sans jamais pouvoir les secourir. L'échec de la sainteté était aussi l'échec du bonheur. Il n'aimait plus l'homme qu'il avait été, vêtu de tant d'apparences de bonté, nourri de tant d'illusions qu'il avait fini par se tromper lui-même plus que les autres. «Si simplement les enfants de Vallée d'Or étaient de vrais enfants de Dieu, non les enfants de sa honte, de son humiliation...»

Fermant les yeux, il eut une vision de Maria courant vers lui. «Pourquoi tes genoux sont-il sanglants, encore, Maria?»

— Maman dit que j' suis si faible que j' ne peux pas courir sans tomber... Mais m'sieur le curé, M'sieur le curé, marchez donc pas si vite!

Elle l'appelait mais lui refusait de l'entendre. «Les stigmates de l'enfance de Vallée d'Or, pensait-il, jamais je n'ai pu les voir sans penser à m'enfuir...

Mais est-ce ma faute si dans ce village, on ne peut caresser un enfant sans avoir envie de vomir?» L'empreinte de sa misère collait à vous, son odeur, sa faim, vous pénétraient. «Comment voulez-vous que je les aime Seigneur vous qui les avez créés si démunis si humbles?» Peut-être, dans un élan de vanité, aurait-il encore le courage de mentir? Pour entendre ces mots: «Notr' curé est un saint...» Il pouvait assumer un rôle de martyr. Mais depuis la mort de Maria, une curieuse lassitude l'avait envahi...

Combien de fois n'avait-il pas repoussé Maria lorsqu'elle l'attendait le soir, sur le seuil de l'église... «Allons, je veux être seul, Maria, et toi tu babilles comme un petit oiseau...»

— J'ai des choses à t'dire.

— Tu me les diras demain.

Mais lui savait qu'elle ne serait plus là demain. Il avait déjà remarqué, pendant ses leçons de catéchisme, le visage pâle de Maria lorsqu'elle crachait le sang. Mais tant d'enfants toussaient et crachaient le sang à Vallée d'Or! La note meurtrie de ces toux persécutait son sommeil, brisait le silence de ses rêves.

— Il ne faut pas cracher par terre, Maria, prends mon mouchoir. Et il avait voulu ajouter:

— Voilà tout ce que je te donnerai pendant ta courte vie.

On mourait debout à Vallée d'Or. Ce n'est qu'à la première heure de l'agonie que Maria eut droit à une place dans le lit de sa mère.

«Maria me parlait, le soir, mais que me disait-elle? Je ne l'écoutais pas, je me souviens que le son de sa voix me faisait mal, je ne pouvais pas la regarder sans me sentir coupable...»

— M'sieur le curé... M'sieur le curé...

Ce soir, d'autres enfants l'appelaient, mais Maria n'était plus parmi eux. Il l'avait laissée mourir par distraction, par oubli...

Le prêtre étouffait entre les murs de sa chambre. Le jour était trop long, le soleil déclinait lentement sur les champs stériles. Immobile à sa fenêtre, il oubliait de manger le maigre repas de légumes et de pain qui l'attendait sur la table. Depuis quelques jours, il était atteint d'un tel dégoût que le pain sur la table avait soudain l'aspect de la chair pourrie de Vallée d'Or. Autour de lui, la même nudité, la même sécheresse reflétait son désarroi intérieur. « Seigneur, que je ne possède rien que l'ardeur de l'âme, épargnez-moi de toute satisfaction... » avait été la prière de sa jeunesse mortifiée. Il regardait le lit de fer contre le mur blanc, le crucifix, la table pauvre, et il comprenait qu'il n'avait pas vécu dans la simplicité mais dans l'avarice. « Oui, je vivais ainsi parce que je craignais le regard des choses que l'on possède. Ou plutôt, je craignais d'être possédé par elles. » Il avait méprisé la pauvreté mais il avait aimé en connaître les privilèges, l'honneur. « Ces paroles pieuses qui coulaient si facilement des lèvres des moribonds... »

— M'sieur le curé, notr' sauveur !

— M'sieur le curé, c'est moi, Tournemule !

— Que veux-tu donc encore ? demanda le prêtre en ouvrant sa porte à l'aveugle qui sautillait de rire.

— C'est m' pauvre mère qui vous demande m'sieur le curé, elle a peur de pas passer la nuit...

— Quand le jour tombe, elle a toujours peur de la mort. Dis-lui que je viendrai demain.

— Mais plus elle a peur, M'sieur le curé, plus elle blasphème, un vrai démon, voyez comme j' tremble...

— C'est toi qui as peur, Tournemule, pourquoi toujours mentir? Puis, regardant le pain à demi rongé sur la table:

— Prends ce morceau de pain, Tournemule, je n'ai pas d'appétit ce soir. Quelques minutes plus tard, il précédait Tournemule sur la route poussiéreuse. La chaleur persistait encore mais la nuit viendrait bientôt.

«Mon enfant, mon enfant» répétait-il à la vieille femme délirante sur son lit ténébreux: «Il est tard, il faut penser au repentir». Mais la mère de Tournemule hurlait de colère: «J'ai soif, j' veux pas mourir...» Et soudain son délire éclatait d'une gaieté étrange, d'une joie sauvage, presque criminelle.

— Insensée, tais-toi, dit le prêtre.

Mais elle poursuivait son monologue éperdu:

— Tournemule, y a essayé de m'tuer, oui avec une pioche, un jour, et un autre jour, avec une hache, dis la vérité, Tournemule, ah! j' ne l'aime pas ce Tournemule, j'ai ben voulu lui crever les yeux comme un p'tit chat!

— Elle a soif, dit le prêtre. Donne-lui à boire.

D'une main tremblante, Tournemule fit boire sa mère, puis trempant la main dans le seau d'eau, il caressa les joues de la vieille femme, son front.

— N'aie pas peur, pauvre mère, j' veux te rafraîchir...

Elle, se rappelant une lointaine habitude, peut-être, lui toucha les yeux comme à un petit enfant.

— J'vous le dis, M'sieur le curé, y voulait me tuer ce mauvais, oui, y voulait m'trancher le cou, dis la vérité à M'sieur le curé, Tournemule!

— Il est trop tard pour penser à la haine, dit le prêtre, de grands malheurs, de grandes privations vous ont unis, qui sait, une ancienne tendresse résiste peut-être encore sous les cendres... C'est à cela qu'il faut penser, à cela seulement...

« Hypocrite, pensa-t-il, je dis des paroles que je ne ressens pas, que je n'ai peut-être jamais ressenties, sauf, peut-être aujourd'hui devant la dignité cruelle de Maria... »

La vieille femme mourut à l'aube, accusant son fils, dans une indécence joyeuse. Puis elle se laissa enfin emporter dans un tourbillon de folie calme, mélancolique et accablée. Cette nuit-là, il fit un rêve. Il se purifiait de ses fautes en mettant le feu à son église. Mais Dieu lui demandait plus encore. Il devait ressembler « au plus petit des enfants de Vallée d'Or », quitter le vêtement de prêtre, se séparer enfin du monde d'apparences religieuses dans lequel il avait vécu, et nu, comme un mendiant dans ses loques, aller par les routes, malade, épuisé, mendier, non pas le pain qui désormais ne soutenait plus son âme, mais la fraîcheur, la vérité d'un seul acte de pitié.

— Tournemule, où vas-tu donc ? J'ai besoin de toi, de n'importe qui parmi vous capable de m'enseigner la pauvreté... Mais Tournemule poussait une charrette noire devant lui. On ne voyait pas son visage, mais deux épaules maigres secouées de frémissements nerveux.

— Regarde-moi, Tournemule.

— Trop tard, M'sieur le curé, la nuit approche, faut que j'enterre ma pauvre mère...

Comme un homme ivre, il chantait :

Vive la brave mère
qu'un matin on enterre

Vive la brave mère

À la hache Tournemule Tournemule

Longtemps j'ai rêvé . . .

Mais les mots de la chanson se perdaient dans l'air chaud. Bientôt la silhouette entière de Tournemule disparut du côté des buissons. Le prêtre s'agenouilla pour prier mais nulle parole de reconnaissance à Dieu ne vint à ses lèvres. Il vit Maria qui marchait vers lui comme autrefois. Mais cette fois, c'était elle qui lui offrait le pain. Il voulut lui parler, la garder quelques instant auprès de lui, car jamais il n'avait connu un tel abandon, une telle solitude, mais Maria s'était déjà enfuie. Il mordit dans le pain terne et sans saveur, et à mesure qu'il mangeait, un sang glacé ruisselait entre ses doigts...

Lorsqu'il se réveilla, il pleurait, se répétant que jaillissaient enfin de lui les larmes peureuses de son indifférence. Cette honte délivrée lui faisait du bien. Il pensa un instant qu'il serait bientôt guéri de son absence de pitié et qu'il pourrait accomplir de grandes choses à Vallée d'Or. «Oui, comme ils seront fiers de leur curé, les gens de Vallée d'Or...» Cette pensée orgueilleuse le plongea à nouveau dans la tristesse. Pleurant d'un sincère repentir, il aimait donc encore cette image de lui-même? Ce néant? Il n'aimait donc que cela?

— Mange, mange de ce pain, avait dit la voix intérieure dans son rêve.

Et plutôt que de lui donner la vie, cette nourriture lui apportait la mort? Bien sûr, reconnaître sa faiblesse était déjà un réveil miraculeux de la conscience, mais cela ne l'empêcherait pas de mentir, de tromper autrui sur la dureté de son cœur?

«Oui demain, je sais que je dirai encore à Tournemule «dis-moi la vérité Tournemule» exigeant de lui des vertus que je n'ai pas moi-même. J'irai vers la mère de Maria en la consolant sans amour... Je...»

Mais Dieu avait-il pitié? Que savait-on de cette invisible pitié qui s'exprimait si rarement, si loin des hommes? «Je sais bien que la pitié de Dieu est un symbole, mais si elle était toujours là vivante sous mes yeux, comme un exemple fervent, je ne pourrais pas commettre le péché d'injustice cent fois par jour...»

Assis au bord de son lit, il regardait ses mains propres et blanches. «Jamais je n'aurai les mains flétries, les mains grises de Tournemule, jamais je ne cracherai le sang comme Maria. Dieu me protège trop!» Peu à peu il devint indifférent à ses propres larmes. Il faisait chaud dans la chambre. Les mouches collaient à la fenêtre. L'aube se levait, suffocante, comme hier. Et si le prêtre éprouvait soudain quelque pitié incertaine, il était peut-être trop tard... Personne n'était là pour la recevoir.

Dépossession*

Il savait qu'il n'était désormais que cette chose abjecte que les autres regardaient avec dédain, cette chair flétrie, cet homme assis là, sur un amas de journaux, avec sa malédiction, au milieu d'une foule qui eût préféré ne pas le voir, qui le voyait à peine dans l'aveugle tourbillon de la tempête qui agitait la ville. Un relent d'ivresse alertait encore ses membres raidis par le froid, et dans un sursaut de vie, comme s'il eût éprouvé en souvenir cette lointaine nostalgie du monde des vivants qu'il allait quitter, il tendait les bras vers eux, en un vain geste de supplication, menant seul, comme il l'avait toujours fait, sa guerre silencieuse contre le monde, seul et jusqu'à la proche extinction de cet être minable qu'il était devenu en si peu de temps, cette guerre passive qui était la sienne, celle de la déchéance, de l'abaissement, dans un monde qui n'avait jamais été le sien, dans un pays où il était né pour y vivre en exil. Eux, ces hommes, ces femmes, ces enfants, ces taches grises ou fulgurantes dans le brouillard qui couvrait ses yeux, s'enfonçaient dans leurs voitures, couraient vers le confort de leurs

* *Possibles*, Montréal, vol. 10, nº 1, automne 1985.

foyers, dans les gratte-ciel qui dominaient la ville sous le ciel blanc, et il sentait ces chaussures, ces bottes qui le heurtaient involontairement en passant, il frissonnait de fièvre, ne disait plus: «Laissez-moi, si vous saviez combien je vous hais tous!» comme il l'avait fait tant de fois, lorsqu'il pouvait encore marcher, ses journaux, ses chiffons sous le bras, lesquels contenaient des restes de nourriture mendiés dans les restaurants de la ville. Mais il était trop affaibli pour éprouver ces sentiments de haine. Le vent de février le transperçait sous sa veste aux manches érodées, mais il continuait de tendre les bras vers les passants, pendant que son visage se couvrait d'une bave froide, ses fragments de journaux se dispersant autour de lui, dans les rafales de neige. Eux allaient et venaient, accablés par la tempête, ils ne semblaient pas le voir. Il devait être visible, pourtant, comme une tache honteuse dans cette grande ville industrielle d'Amérique du Nord; peut-être eût-il dû les supplier davantage, gémir, mais sa voix n'était qu'un râle qui sortait péniblement de sa poitrine. Le froid engourdissait peu à peu tous ses membres et il craignait de céder au sommeil. Il pensait à ces havres de sommeil qu'il avait connus tout le long de son errance, ces asiles aux lits crasseux, et récemment, depuis qu'on le trouvait endormi aux portes des hôtels, couché sur un banc, dans les parcs, ces abris pour les intoxiqués où il avait croisé des visages hagards, des jeunes gens déjà ravagés, ces visages le troublaient soudain, comme s'il eût senti tout près de lui, dans cette vapeur glaciale qui montait de la terre, l'haleine de ces jeunes vies se mêlant à son dernier souffle. Et soudain, il eût aimé vivre: mais il n'y avait pas de lieu pour lui, sur la terre: il n'y avait que des abris, car comme sous la menace des bombes, il avait toujours vécu inquiet, à l'affût d'un danger. Mais s'il avait souvent eu la vague conscience de lutter sans but dans ce monde obscur des autres où il n'avait aucune place, il ne savait comment expliquer cette tension guerrière dans laquelle il avait vécu, dans un pays qui était paisible et d'une prospérité croissante. Peut-être n'était-il qu'un ivrogne, un dégénéré qui ne savait lire ni écrire mais il sentait qu'il était en même temps la victime d'une guerre cachée, innommable. Autrement, n'eût-on pas remarqué sa misère, son dénuement? Mais la tempête augmentait et il ne voyait que ces formes qui ployaient dans le vent, et chacun s'éloignait, fuyait en courant. Et il pensait, je ne dois pas m'endormir, bientôt, ils ne me verront plus, et la sombre épaisseur de la neige qui commençait à envelopper son corps, dans la tombée de la nuit, voilait aussi ses paupières peu à peu. Un lourd sommeil envahissait sa tête mais ses yeux étaient ouverts et il pleurait dans une douce lamentation. Lorsqu'il entendit la sirène d'une ambulance au loin, un espoir le ranima: deux policiers viendraient le secourir, on l'amènerait à l'hôpital, des mains charitables l'aideraient à manger son pain trempé dans du lait chaud. Il serait sauvé. Même s'il n'était que ce paquet nauséabond abandonné sur un trottoir, ce débris humain qui attirait si peu de bienveillance, de sympathie, on ne pouvait le laisser mourir ici, dans cette mortifiante solitude quand, autour de lui, une multitude d'êtres allaient vers l'innocence de leur bonheur, de leurs plaisirs? Et puis il n'entendit plus rien. La ville semblait désertique soudain. Les policiers, l'assistante sociale qui avait si souvent trouvé pour lui un refuge, cet inconnu, un homme ordinaire dont la pitié était simple, silencieuse, car il existait sans doute encore des hommes bons, oui, cet homme qui, hier, il y avait de cela quelques jours, l'avait étreint contre lui et réchauffé en disant: «J'appelle un médecin, que vous est-il donc arrivé? Je pensais que ces choses-là ne se passaient que dans le Tiers-Monde... mais pas ici, pas chez nous», tous, ils se rassemblaient autour de lui, et ils disaient: «Ne crains rien, tu seras sauvé.» Et dans l'espoir de cette tendresse qui tardait à venir, il tenait ses bras levés droits devant lui, son torse était légèrement incliné, bientôt il céderait au sommeil, pensait-il, ses yeux se fermaient déjà, ils viendraient, oui, pensait-il, je les entends qui approchent, mais ces visages n'étaient que de feintes apparitions dans la nuit blanche: personne ne viendrait.

Tendresse*

Elles dormaient ensemble, doucement enlacées. Elles se connaissaient à peine depuis quelques heures, n'avaient échangé que quelques mots, de brèves caresses, et pourtant la chambre était pleine d'elles, de la sensuelle parenté de leurs corps, de leurs vies venues se réchauffer l'une près de l'autre, en cette froide nuit de mars. Dehors, on entendait le déluge d'un printemps glacial, une odeur de pluie et de brouillard imprégnait encore leurs vêtements, ces manteaux trop lourds, ces chaussures vaseuses, objets devenus soudain d'une même nécessité, lorsqu'elles avaient franchi le seuil de l'appartement et qu'elles avaient parsemé autour d'elles, dans la fougue de leurs sens envahisseurs. Maintenant elles dormaient ou feignaient de dormir, leurs regards, leurs mains, se cherchant encore, dans le chaud refuge du lit. L'élan d'une brusque tendresse, mais aussi l'appréhension de la rencontre amoureuse, lorsqu'on s'étreint pour la première fois dans la nuit, les avaient surprises, nouées là, dans cette oasis inconnue. Ce n'était là, peut-être, pouvait-on redouter, qu'une rencontre encore

* *Brèves*, Villelongue d'Aude, n°s 25-26, printemps 1987.

fraternelle, virginale, l'aube n'efface-t-elle pas souvent de sa terne lumière les gestes lumineux de la nuit, chacune n'irait-elle pas dès le matin vers ces devoirs inexorables de l'existence?

Bientôt ce serait l'éblouissement de l'été, pourquoi se quitter déjà, si tôt, et sous leurs paupières assoupies, leurs regards s'éveillaient tour à tour inquiets, ardents, l'illumination de cet été les rapprochait déjà, leurs joues étaient brûlantes, leurs yeux scintillaient de cet espoir fugace, la vie, l'été, nous, ce temps éperdu de l'amour que l'on arrête dans une chambre, quand on sait qu'au dehors tout ne sera bientôt que froidure et étrangeté. L'une se demandait ce qu'elle aimait tant en l'autre, était-ce cette mèche de cheveux drus qui retombait sur la longue oreille ou le petit pied solide, si musclé qu'il semblait déjà prêt à la course — mais était-ce à la course ou à la fuite?— ce pied qu'elle avait délicieusement tenu entre ses doigts? Mais elle pensait aussi que dans ce champ sauvage que la nuit lui avait livré, tout, dans le corps de l'autre, lui était familier, de ses pleurs salés au coin des paupières, dont elle connaissait la saveur, car au bord des yeux de l'autre, c'est son âme soudain attentive, vigilante, qui s'était penchée, suspendant l'ivresse de son corps (et elle avait pensé: elle vient d'entrer en moi sans prudence, je l'aimerai, comment faire autrement?), de ces larmes contenues jusqu'à la vigueur du pied étroit qui l'avait fait sourire, oui, chacun de ces détails d'un corps joyeusement parcouru, ne vous retenait-il pas douloureusement auprès de lui, car il fallait tout savoir, du moins tout comprendre de ce souverain désordre qui surgissait dans votre vie.

L'autre avait froid peut-être, ou pressentait-elle déjà l'heure du départ, elle dit: «Couvre tes épaules», comme si elle lui eût toujours parlé ainsi, murmuré à voix basse, mais d'un ton subtilement impérieux, cet ordre à celle qu'elle appelait déjà obscurément mon amie. Mais la bienveillance de ces mots, de ces gestes, pouvait être accordée à d'autres amantes aussi à travers de nombreuses nuits. Et celle qui avait posé ses lèvres sur cette ride qui creusait la joue de l'autre, bu l'âpreté de ses larmes, sentit passer entre elle et l'autre les débris de ces vies antérieures, ces débris qui s'affolaient seuls ou isolés de tout, dans l'air voluptueux de la chambre. Il faisait subitement froid puisque l'autre revêtait sa poitrine d'un maillot sportif, cette chose qui voilait la beauté d'un torse d'enfant (quand l'autre venait de parler de la détérioration qui accompagne toute vie, avec la souffrance et le temps) et ces mots erraient encore dans la chambre, avec leur pudeur grave, l'effritement des jours de splendeur qu'ils avaient abrités, cette chose, un morceau de coton bleu dont le corps de l'autre s'était drapé, dans les frissonnements du froid, devenait, dans les premières lueurs de l'aube, la chair et le parfum de l'autre, avec toutes ses empreintes. Le maillot de coton bleu, avec ses manches courtes, effilochées comme si les mains de l'autre les eussent cisaillées de ses doigts impatients (et ces reflets jaunes sous les aisselles, d'une jaune transparence plutôt, car on y voyait brunir le duvet des aisselles en dessous, comme s'il y eut partout sous le brasier de ce corps d'autres feux qui couvaient, paisibles, couchés, les vêtements n'étant là que pour les soumettre aux lois d'une saison froide), ce vêtement d'un bleu pâle sur lequel l'aube s'était jetée, respirait avec la poitrine de l'autre, écoutait comme l'eût fait l'oreille d'une amante, les battements de ce cœur. Plutôt que d'envelopper de ses hardes bleues celle qui avait froid, il la dénudait soudain, offrant des grâces successives, la musculature d'un ventre sur lequel on reposait sa tête bien que ce fût dur, des cuisses hardies qui vous ramenaient au pied intrépide, si fort dans son désir de partir, de bouger, que les doigts épris ne le calmaient plus, le laissant s'égayer seul vers ses rêves ou sa soucieuse agitation car les corps n'étaient-ils pas comme tout le reste de nous-mêmes, compliqués, têtus, d'un entêtement qui exprimait l'ascension vers une liberté si fragilement contrainte ?

Soudain, dans ce jour violent, c'était un matin d'une extrême violence puisqu'il séparait de sa grise lumière, de son vent froid qui avait abattu des arbres pendant la nuit, ces mains encore si chaudes qui évitaient de se joindre, soudain, il fallait partir, mais il y avait encore ce même espoir dans leurs yeux, comme lorsqu'elles avaient dormi dans les bras l'une de l'autre tout en ne dormant pas, épiant leurs désirs entre leurs paupières entrouvertes, cet espoir dont elles ne parlaient pas tout en emportant tout, cette surabondance de dons abrupts dont elles étaient étourdies, cet espoir qui n'était presque rien et peut-être tout, l'amour encore, l'amour demain, peut-être, pour l'instant, le souvenir de leurs deux souffles dans la nuit.

L'amie révolutionnaire*

Depuis vingt-cinq ans,
nous vivons ensemble
et maintenant je dois te dire que...

Je la revois se préparant à partir, son sac à dos sur l'épaule. Elle est sobrement vêtue d'une jupe étroite, d'un chemisier aux manches roulées et d'un manteau vert foncé style militaire. Cette année-là, des émeutes raciales ont éclaté partout à travers les États-Unis. Elle s'est alors jointe à ses compagnons noirs et a lutté pour leurs droits dans les États du Sud où on interdit aux Noirs de se mêler aux Blancs dans les lieux publics. Je la vois, à la télévision, au temps de cette révolution tragique et sanglante: elle avance d'un pas ferme, assuré, tenant ses amis par la main. Des pacifistes, des étudiants l'accompagnent, mais je la sais frêle et seule au milieu de la foule. Une foule hostile, telle qu'on la voit dans les journaux de l'époque. Elle est cernée de présences maléfiques, les chevaliers du Klu Klux Klan et une meute de policiers armés jusqu'aux dents. Dans cette prison de Georgia où elle

* *Depuis 25 ans*, Les Presses Laurentiennes, 1987.

jeûnera volontairement avec ses camarades pendant quarante jours jusqu'à ce qu'on les nourrisse de force — elle écrit quotidiennement de sa fine écriture obstinée, infatigable pour dénoncer les conditions de vie dans les prisons. Elle nous enverra, sur du papier hygiénique bleu, les fragments d'un livre qui témoigne encore aujourd'hui de cette activité réfléchie, minutieuse qui caractérisait sa vie dans tout ce qu'elle entreprenait pour aider les autres, un humanisme patient, rigoureux qui me semblait souvent incompréhensible. Car je ne m'expliquais pas pourquoi elle mettait ainsi sa vie en danger, elle qui aurait pu vivre calme et heureuse à la campagne, parmi ses livres et ses nombreux amis. Quelle mystérieuse détermination l'éloignait donc de nous, du recueillement de cette vie d'artiste et d'écrivain qu'elle avait choisie dans sa jeunesse, pour mener soudain une vie de combat qui ne semblait faite que de duretés et d'épreuves ? Dans l'aéroport où nous étions venus l'accueillir à sa sortie de prison, je vois pour la première fois la ligne rouge qui sépare les Noirs et les Blancs. Les gens détournent les yeux de celle qu'ils ont vue dans les journaux et à la télévision, aux côtés des Noirs, dans des émeutes où, comme ses compagnons, elle a été persécutée et blessée, elle qui subit la violence et le racisme des autres et qui croit religieusement à la pratique de la non-violence. Ce regard de haine ou cette absence de regard, qui se traduit par un éclair de mépris sur ces visages, nous suivra partout jusque dans un motel où elle tente de se reposer, près de la mer, sous ce soleil brutal qui éclaire sans pitié ses bras, ses jambes décharnés, cette chair presque transparente sous le drap sombre du manteau dont elle est vêtue, malgré la chaleur. Elle aura souvent froid après ce temps de privations et de souffrances dans cette prison de Georgia : elle aura froid jusqu'à la fin de sa vie. Lorsque je la verrai pour la dernière fois, elle portera encore un chandail, des grosses bottes, par un brûlant jour d'hiver en Floride.

Pourtant, bien qu'elle mange très peu, ce qui désespère ses amis qui veulent la sauver, elle lit et écrit toute la journée, près de la mer, sous un ciel pâle et chaud. Son estomac lui fait mal après ces jours de jeûne. Elle parle de la fraîcheur miraculeuse d'une boisson à l'orange qu'on lui a permis de boire à la fin du jeûne, en prison. Avec un air de douce euphorie, elle évoque chacun de ses amis, et même ce séjour dans une prison infecte. J'écoute ce discours avec une honte et un découragement secrets. On les a battus, matraqués, nourris de force et elle dit que l'humanité progresse. À peine guérie, elle reprend ce discours avec ferveur, le ponctue de gestes volontaires de la tête et de ses mains nerveuses. Elle marche de son pas ferme vers la plage. Déjà, elle a d'autres projets, elle doit repartir. Hier, avec sa candeur têtue et sa logique implacable elle parlait de désarmement à Castro ; demain, dit-elle, elle ira au Pentagone, ce lieu de terreur armée qu'elle veut franchir avec ses camarades.

Je la revois qui déplie son sac à dos couleur sable et qui y glisse la jupe étroite, le chemisier à manches roulées, « ces vêtements n'ont besoin d'aucun soin, » m'explique-t-elle, « on les lave, puis on les remet », elle ajoute une couverture, une tasse de métal. Elle a coupé ses cheveux elle-même, ils sont raides et propres, avec une frange sur le front ; son jeune visage a déjà des rides, les rides sont venues très vite sur la peau fine et sensible. Je suis émue par la limpidité de ses yeux bruns si francs, de son intelligence inquiète et tourmentée dès qu'elle est témoin de la douleur d'autrui. La voici telle que je la vois, après ces années et je ne sais toujours pas si je l'ai comprise, si je la comprends.

Pendant un autre voyage à Washington, elle campera sous la pluie, dans un parc, elle sera violée par un de ses compagnons, elle prêtera son manteau à un autre qui sera tué, elle ira encore en prison. En même temps gronde, sur les campus américains, la guerre du Vietnam qui arrachera bientôt de ces campus aux arbres fleuris, ces garçons allongés sur la verdure avec leurs livres. Le soir, avant la venue de ces jours terribles, nous avions écouté le roulement des bicyclettes dans les rues, le chant des collégiens dans la chapelle de l'Université. Dans la bibliothèque éclairée tard la nuit, ils étudiaient la philosophie, les sciences, l'histoire, puis soudain, les allées du campus sont devenues désertes. Ils ne lisent plus couchés dans l'herbe, un bras sous la tête, en regardant passer les nuages, car ce qu'ils craignaient tant, avec leur dix-huitième année, est arrivé.

Elle observe ces jeunes soldats, dont plusieurs sont encore des enfants, qui partent tuer leurs frères d'Asie. Elle quitte la maison paisible, l'attente agitée devant sa table de travail, elle descend comme tant d'autres dans la rue, elle dénonce cette guerre; cette fois, elle est entourée d'écrivains, de poètes célèbres, de prêtres catholiques: une solidarité nouvelle s'est mise à croître dans ses rangs jadis resserrés, solitaires. Mais elle se reproche d'être vivante pendant que son pays décime un peuple entier, brûle des villages au napalm, détruit des terres pour vingt ans à venir. Elle décide de partir pour le Vietnam avec un prêtre anglican et quelques pacifistes. Ses amis tentent de la retenir : n'est-ce pas absurde de risquer sa vie sous les bombes, dans une manifestation de non-violence dans un pays en guerre ? Elle dit qu'il faut terminer cette guerre, elle croit en ce peuple américain de bonne volonté qui y mettra fin. Et il est vrai que l'image de ces quelques pacifistes assaillis par les policiers, au Vietnam, touchera la conscience populaire. Il y aura des protestations de plus en plus nombreuses. Des soldats déserteront, dégoûtés par ce massacre. Mais avant la fin de cette guerre qui jette une honte si durable dans les cœurs, je vois mon amie bouleversée par la compassion, je la vois, démunie et seule à son retour du Vietnam, s'interrogeant sur le rôle de la non-violence dans le monde : on publie sa photographie dans les journaux, on l'accuse de trahison à son pays, elle est violemment attaquée par la presse de droite, et ceux qui la défendent le sont aussi. Cette rage collective ne semble pas l'atteindre toutefois, car elle est convaincue que la guerre achève. La voici qui visite ses amis objecteurs de conscience en prison, qui leur écrit, qui les accueille dans sa maison pendant qu'on poursuit les résistants à travers le pays. Pendant ces années d'une si grave importance dans l'histoire américaine, pendant ces sept années où j'ai le privilège de la connaître, je verrai souvent pleurer cette amie. Je suis témoin de son désespoir à la mort des Kennedy, certes elle n'avait pas approuvé leur politique, mais l'horrible violence dont ces deux frères ont été victimes, l'un suivant l'autre de si près dans la malédiction et la mort, l'avait profondément affectée. Je me souviens de cette photographie, découpée dans un journal et que nous avons longtemps conservée, où nous assistons aux derniers instants du jeune Robert Kennedy couché, les yeux ouverts, dans cette salle où il vient de prononcer son dernier discours triomphal. Il est là, vulnérable et affligé, lucide et impuissant, il est là qui nous regarde et qui nous juge, comme ces jeunes soldats blonds répandus sur les champs de bataille du Vietnam, il ne comprend pas pourquoi il doit mourir, il semble dire: «Qui donc a pu me tuer?» ou «Est-ce vrai, suis-je en train de mourir?» Sa douleur est plus visible encore lorsqu'elle perd, tout près l'un de l'autre dans le temps, eux aussi, Martin Luther King et Malcolm X, ses compagnons de lutte. Je la vois pleurer ces larmes qu'elle ne tente plus de cacher. C'est peu de temps après la mort de son ami Ray, un jeune Noir qu'elle a aimé comme un frère (j'ai su plus tard qu'elle avait pris soin de sa femme, de ses enfants), et qui a été tué pendant une émeute d'étudiants sur l'un de ces campus où combattait une jeunesse ardente, qu'elle fût de race blanche ou noire. Martin Luther King, Malcolm X, Ray n'étant plus là, mon amie s'assombrit, s'absorba dans son travail et dans l'austérité de ses lectures, car elle ne lisait que les philosophes et les historiens, et souvent tentait de les déchiffrer dans le texte original, elle qui avait peu de dons pour les langues. La fusillade sur le campus de Kent University semble briser pour toujours sa foi en la non-violence comme moyen de pression humanitaire et politique. Mais elle ne devient pas violente, n'adhère à aucun mouvement violent noir: elle se retire et écrit. Après avoir publié plusieurs livres sur ces questions qui la préoccupent toujours, la vie des détenus en prison, le rôle d'une action non violente dans une société violente, elle s'associe avec passion à un mouvement féministe radical et longtemps, le reste de sa vie, elle ne travaille que pour les femmes. Elle ouvre un refuge pour les femmes battues, les femmes violées. Elle donne peu à peu ce qu'elle possède, exprime un hautain mépris pour la classe bourgeoise à laquelle elle appartient. Mais elle ne demande à personne de vivre comme elle dans le dénuement. Elle sera toujours prête à secourir un ami artiste, un écrivain, qui que ce soit qui ne partage pas ses idées. Elle est encore arrêtée avec ses amies, emprisonnée lorsqu'elle essaie de franchir les barbelés d'une centrale nucléaire. Un soir d'hiver, au retour d'une réunion pacifiste, la voiture dans laquelle elle s'est endormie, sur le siège arrière, entre en collision avec une autre. Les camarades de mon amie ne sont que légèrement blessés: on la retrouve inconsciente au fond de la voiture et longtemps on craindra pour sa vie. Elle passe près d'un an à l'hôpital, elle réapprend à vivre, avec ce nouveau corps aux os brisés, elle veut apprendre à survivre, même de façon précaire. La force de son intelligence est intacte, elle nous regarde de ses yeux lucides, l'oisiveté de cette longue maladie lui pèse, elle est impatiente de sortir de cet hôpital, dit-elle. Il y a encore la marque d'un trou à sa gorge, là où passait la tige artificielle qui l'aidait à respirer. On consent à la laisser sortir: elle marche désormais avec une canne. Elle souffre tant du froid, à son retour à la maison, en Nouvelle-Angleterre, qu'il lui faut partir au soleil vers le sud. Ce sud où elle a jadis été si maltraitée et humiliée. «Mais tout a changé depuis ce temps-là», dit-elle, car elle est fière de cette évolution minime de l'humanité, si minime qu'on la perçoit à peine. Elle reprend le sac à dos, mais cette fois le départ semble définitif, nous l'aidons à se vêtir, elle nous dit au revoir avec un sourire confiant, vulnérable, la tête penchée sur le côté, ses cheveux raides qu'elle continue de couper elle-même, malgré la maladresse de ses gestes. Là-bas, de son île sauvage en Floride, elle nous écrit, ses os lui font moins mal ici, dit-elle, elle se baigne tous les jours, elle vit dans une petite commune de femmes, elles ont des chiens, des chats, elle écrit, elle lit beaucoup. J'apprends que ses maîtres à penser qui étaient autrefois des hommes, sont maintenant des femmes. Elle ne parle pas des souffrances de son corps brisé. Pendant quelques années, par ses écrits, je la retrouve, ces écrits qui ont toujours l'entêtement et la logique de ses discours et qui contiennent ce déraisonnable espoir en l'avenir. Un avenir meilleur: un monde meilleur. Je crois entendre sa voix comme lorsqu'elle était près de moi et que j'opposais à ses idées (trop saintes, trop élevées, selon moi) la résistance farouche de ma jeunesse.

Nous nous revoyons ensuite beaucoup plus tard, chez elle, sur son île, dans le sud. Elle marche avec sa canne et me paraît très affaiblie, bien qu'elle continue de travailler avec la même rigueur. Je doute étrangement de la sincérité du groupe d'amies qui l'entourent, car j'ai toujours vu mon amie vivre dans une maison ordonnée, studieuse, et ces jeunes femmes déracinées qui tournent autour d'elle, plus que désordonnées, souvent sales et rudes (elle qui aime tant la finesse, la courtoisie, me dis-je), semblent profiter d'elle, de son impuissance physique depuis sa maladie, de la générosité de son accueil, elle qui leur offre tout. Ce que je leur reproche le plus, c'est qu'elles n'encouragent pas mon amie à voir sérieusement un médecin, qu'elles lui préparent de ces nocives boissons aux herbes en la leurrant sur son état de santé qui, visiblement, se détériore. Mon amie est offensée que je juge ainsi ses amies, elle dit que les boissons aux herbes apaisent les douleurs de son estomac. «Je n'ai rien dit-elle, je ne sais pas pourquoi je me plains» mais je sens qu'elle souffre beaucoup, que depuis l'accident sa vie est un supplice, même si elle s'entête à le nier. Je lui rappelle que son frère médecin, celui qui la soignait à l'hôpital de New York, que ce frère est très inquiet, il la supplie d'ailleurs de revenir à New York afin de subir des examens plus approfondis. Elle ne nous écoute pas. Elle boit encore ses boissons aux herbes. Ses amies ont envahi son espace: elle écrit dans un coin de son studio, sur son lit, comme si elle était encore dans une cellule de prison. Elle mange très peu. Je la vois: élégamment étendue sur son lit, car il y a toujours en elle cette élégance innée, celle de sa mère, de ses frères longs et minces, elle sera malgré elle toujours gracieuse, sous une apparence négligée et un peu masculine, surtout pendant ces mois d'hiver en Floride où elle souffre du froid, où elle ne quitte pas son chandail, ni le manteau de drap sombre quand, chaussée de ses grosses bottes, elle m'amène voir sa barque, près du canal. «Je viens ici chaque matin, dit-elle, je descends sur l'eau, j'écoute le chant strident des oiseaux.» Elle s'attarde à la description de ses promenades en barque, me parle de son amour de la solitude, dans cette jungle où hier son chat a été mordu par une vipère. Dans cette barque, elle prend des notes, elle écrit, elle s'étonne de se fatiguer si vite. Soudain, elle ne peut plus descendre vers la barque sur le canal. Le froid rampe dans ses os, dit-elle, elle se tord de douleur sur son lit, dans sa cellule où débordent les papiers et les livres sur le sol. Il faut appeler le médecin. Elle le sait maintenant, et peut-être le savait-elle depuis longtemps, elle doit être hospitalisée, le cancer est très avancé, avec des traitements au cobalt elle pourrait vivre un an, deux ans de plus. Mais elle se lève de son lit d'hôpital, demande à ses amies de la ramener dans sa maison, près du canal. Elle dit que ces traitements sont inutiles, qu'elle préfère mourir sereine, de façon naturelle et consciente de sa mort. On lui dit qu'il ne lui reste que quelques jours à vivre: elle sourit avec confiance et n'exprime aucune inquiétude. Elle dit simplement: «Lorsque je souffrirai trop, vous aurez le droit d'arrêter ma souffrance avec les moyens que vous possédez pour cela.» Ces quelques jours durent une semaine, une semaine lancinante où mon amie se lève, reçoit des amis qui viennent de tous les coins du monde, sa famille, des écrivains, des artistes, pendant ces quelques jours où, dans l'agonie, elle n'agonise pas comme les autres, elle n'absorbe aucune nourriture, boit un peu d'eau, la vie tient à elle par un fil, mais on pourrait croire que c'est un fil de fer, car jamais elle n'a été aussi présente pour chacune, chacun. Elle ne dit pas à ceux qu'elle reçoit, debout encore, ne s'allongeant quelques heures que le soir, lorsque le soleil rouge tombe sur l'océan, à cette heure où les hérons blancs se posent sur l'eau du canal, près de sa barque, elle ne dit pas: «Je vais mourir,» mais «Puis-je vous aider... je vais bientôt partir en voyage...» Et ceux qui viennent se confient, attendent jusqu'à la fin ce secours précieux, de nature surhumaine peut-être. Il y a même des jours de fêtes, les deux jours qui précèdent sa mort, où elle distrait ses amis en s'habillant de ces costumes qu'elle a acquis pendant ses voyages à l'étranger. Une tunique de soie qui vient de Chine; un chapeau du Pérou sur sa tête dont les cheveux ont été rasés. Lorsqu'elle sent une amélioration, parfois le soir, elle esquisse un pas de danse appris en Grèce où elle vécut une jeunesse bohème et heureuse. En ce temps où elle écrivait des vers et se souciait bien peu de la politique dans le monde. Je ne suis pas là lorsqu'elle s'éteint doucement, mais j'imagine les grandes douleurs de son corps recroquevillé que l'on découvrit à l'aube, sous le drap de coton blanc, car c'était une nuit très chaude, et peut-être n'eut-elle pas froid. On lui avait donné ce calmant dont elle avait grand besoin pour dormir cette nuit-là. «Oh! vous pouvez m'en donner un peu plus, je suis si fatiguée, ce soir.» Il y avait ce fluide de guérison dans ses veines, ce fluide d'exaltation qui devait couvrir le mal de ses os, mais ne le couvrir qu'à peine, puisque, je le sais, sa mort fut atroce. J'entends sa voix au téléphone, elle qui me console de son prochain départ: «Ce n'est rien, dit-elle, ne me pleure pas, ce n'est rien, c'est comme changer de vêtements, oui, c'est aussi simple que cela, mourir...»

L'exilé*

Il marchait le long des rues brûlantes de l'île, ces rues qu'il connaissait si bien, jusqu'au dégoût parfois, lorsqu'il côtoyait des voyous de son âge et que, le temps d'une brève promiscuité avec eux, il voyait bouger, dans un brouillard de chaleur qui l'aveuglait, les hâtives silhouettes de ses frères, ceux qui ne sortiraient jamais de l'île, qu'ils fussent Noirs ou Blancs sillonnant de leurs grotesques ombres ces rues débordantes d'une lumière jaune où tout ce qui était bas et misérable ressortait dans une cruelle transparence. C'était parfois un chien maigre qui traversait la rue en hurlant de douleur, on ne savait qui l'avait frappé, torturé, mais sa plainte d'agonie vous hantait longtemps dans le silence de ces journées de torpeur. C'était aussi, le plus souvent, couché au soleil comme aux portes de l'enfer, un garçon qui délirait dans l'herbe, l'un des ces compagnons de hasard de Christopher, abordé dans un bar, un fond de cour, qu'il regardait avec mépris comme s'il eût reconnu dans l'hystérie de ces yeux grands ouverts qui ne le voyaient pas, l'élancement de ses propres désirs

* *L'Atelier imaginaire*, Québec, L'Instant même, 1987.

vénéneux. Mais il s'efforçait de repousser cette déchéance de la drogue qui eût détruit son corps, bien que cela lui arrivât encore d'errer dans l'île, frôlant les murs de sa silhouette endeuillée, traînant d'un pas lourd qui n'était pas le sien, aveugle à tous, sous le verre miroitant de ses lunettes d'où son visage semblait impénétrable, glacé d'horreur ou étreint de cette violence invisible qu'il ne pouvait que taire, contenir, entre ses dents blanches prêtes à mordre. Il avait été modèle en Californie: peut-être ces Blancs qui avaient adulé son corps avaient-ils soudain senti la secrète souffrance qui le rongeait: il se retrouvait chômeur sur cette île, avec cela seulement, son corps, sa beauté qui le sauveraient peut-être des malédictions de sa race. Cette beauté, cette grâce méfiante, avertie, dont il connaissait sous la splendeur, l'usure et cette fragilité qui faisait de lui, issu d'une famille de soldats (son père ne lui avait-il pas dit, en le chassant de sa maison, qu'il renonçait à un grand avenir dans l'armée?) une proie si tendre et si sensible. Il savait que sur cette île, comme en Californie, on aurait faim de sa chair, qu'on le prendrait, le violerait, il se glorifiait de ce destin animal, souple à la caresse de l'ennemi, il gardait plus enfoncée encore dans son âme, sa violence meurtrière. Pendant qu'on l'aimait, le cajolait, il ne tuait pas ceux qui, il y a peu de temps lynchaient les siens. Et c'est ainsi qu'il voulait vivre, heureux dans son châtiment, dans cette conciliante animalité qui l'élèverait — pensait-il — au-dessus de la misère des siens, du fardeau séculaire de leur douleur. Car on ne peut opprimer ceux qui sont doués d'une beauté féroce, en apparence pacifique et généreuse, ceux qui ne semblent passer sur la terre que pour aimer. Lorsqu'il marchait dans les rues du ghetto Noir, (bien que sur l'île, les races, comme on le disait, vivaient en harmonie) mais il y avait toujours cet antre où ne fourmillaient que des Noirs, ceux qui étaient hier des nègres et à qui il ne ressemblait pas, les mains dans les poches, la tête haute, vêtu de son costume blanc. Une vieille femme aux dents pourries lui souriait de son balcon, ils vivaient là, entassés dans des cases, pensait-il, comme les Blancs les avaient décrits dans les livres, bien sûr, Christopher répondait au sourire de la vieille femme comme à cet ivrogne qui le saluait, buvant sa bière sur un tas d'ordures devant sa maison en ruines, il leur souriait à tous, de son sourire éclatant et trompeur, il touchait du bout de ses longs doigts la chevelure frisée des petits enfants (rien ne lui semblait plus touchant plus vulnérable que ces grosses têtes d'anges crêpés qui venaient à lui, dans l'épaisseur de l'air), mais il pensait en écrasant un vil insecte sous son pied: «je ne suis pas comme eux, je ne suis pas comme eux». Et il pensait à son père qui avait dit: «Avec une carrière dans l'armée, on devient les premiers bourgeois Noirs d'Amérique...» Mais méprisant cette armée de Blancs, il préférait vivre pour cette victoire de la chair sur eux, sa chair, tant de fois sacrifiée, il les abandonnait à eux-mêmes, à l'ignominie de ces guerres qu'ils préparaient. Il ne lui suffisait pas, comme à son père et ses frères d'être un bourgeois Noir d'Amérique, cette débonnaire classe sociale lui déplaisait, elle était une tare de plus dans l'histoire de son peuple, car avancer socialement parmi les Blancs, c'était accepter leur décadence, vivre confortablement parmi leurs crimes quand le sang des Noirs n'avait pas fini de couler, coulait encore chaque jour. Son sang à lui ne coulerait pas, il ne vivrait que pour le plaisir. Mais éprouvait-il ce plaisir en cet instant où il ployait sous la chaleur, n'ayant pas mangé depuis deux jours? Drapé dans ses habits hautains, rôdant autour des grands hôtels près de l'océan dont la rougeur, au crépuscule, transportait jusqu'à son visage des vagues de feu, il attendait. Mais dans son attitude orgueilleuse, ceux ou celles qui eussent pu le convoiter croyaient qu'il s'agissait de l'un des leurs et le regardaient à peine. Il eût pu trouver refuge dans les bars où des yeux remplis de désir s'allumaient dès qu'il franchissait ces seuils qui lui étaient si familiers, mais il était venu sur l'île pour vivre voluptueusement parmi les riches. Fier et dur, il ne voulait céder en rien à la sueur de la pauvreté, blanche ou noire. Non, il ne pouvait plus être touché par eux, il avait été modèle en Californie; sur cette île minuscule qu'il parcourait à pieds, il rayonnerait d'une étrange noblesse. On saurait que Christopher n'était pas l'un de ces nègres que l'on bafoue, il serait prospère ou, s'il n'atteignait pas cet état de prospérité pour lui sans élégance — et il était avant tout élégant, toutes griffes rentrées comme une panthère au repos il irait dans ces grands hôtels près de la mer où circulaient de magnifiques serveurs, dans un uniforme blanc aéré d'où luisaient de soyeux morceaux de chair rose: ces jambes musclées, ces torses blonds, ces chevelures au vent, dans la douceur du soir, Christopher ne pouvait que les admirer; ce rôle de l'élégant serveur, Christopher pouvait du moins y aspirer car parmi ces adolescents blonds il serait entouré d'une respectueuse tendresse lui qui était plus beau qu'eux tous. Et à peine plus âgé. Soudain, appuyé contre ce mur de brique blanche, dont la blancheur rutilait dans les reflets de la mer, il avait enlevé ses lunettes, comme pour être vu, dévoilé par ces dieux qui avaient, pendant qu'ils servaient leurs repas aux touristes, la légèreté des danseurs sur une scène. C'est ainsi que Christopher les voyait sur la terrasse illuminée, et soudain, lui qui était si jeune ressentait le poids de vieilles blessures. Il était Christopher, mais cette peau lisse sur laquelle il avait souvent posé sa tête, (il avait longtemps vécu parmi des pushers dont la chair était aussi lisse et rose, de sales petits barbares, presque des enfants, que la police avait vite capturés, parfois tués pendant une fouille où ils s'étaient trop débattus pour fuir et Christopher ne pouvait penser à eux sans tristesse) cette chair et son odeur de liberté, son parfum, celui d'une jeunesse saine, triomphante, ces jeunes gens sur leur terrasse, comment Christopher lui qui était d'une race unique, supérieure, comment pouvait-il mêler sa sauvage beauté, toute sombre, à ces êtres clairs, eux qui avaient reçu de Dieu la clarté du jour quand il sortait droit d'une nuit de sang, une nuit dont il était recouvert comme d'un linceul.

Dans ses yeux profonds sous ses cils frisés (un peu comme cette texture des cheveux, chez ces bébés noirs qu'il aimait tant envelopper de sa main), ces visions d'une lancinante nostalgie mouillaient son regard déjà humide: on eût dit que des pleurs de rage s'étaient cristallisés là depuis longtemps. Tendre était sa chair, mais tendre aussi la chair des pushers captifs derrière les barreaux, plus tendre encore celle qui ne souffrait pas, riant et dansant sur la terrasse illuminée d'un grand hôtel. Et au loin, sur l'océan, dans de vastes navires blancs, des jeunes gens préparaient l'holocauste de demain, là-bas, à la base navale où Christopher eût pu être un héros, un soldat, un lieutenant comme son frère Pete, l'un de ces puissants destructeurs de la beauté et de l'humanité entière, peut-être. Mais sa violence était encore trop affaiblie pour aller vers eux, sa violence qui était son bien le plus sacré, bien qu'elle fût là, enfermée dans un corps superbe mais ne servant à rien. Les pushers en prison, (des petits garçons qui ne se lavaient pas et que Christopher avait tenus dans ses bras, leur prêtant son lit, mais que restait-il de toute cette candeur de cette innocence que Christopher eût voulu préserver de cette race blanche si corrompue qu'elle corrompait même ses enfants?) désormais il n'y avait plus personne qu'il eût encore à défendre, protéger. Pendant ce temps, en Californie glissaient sur les flots de la mer ces mêmes dieux Aryens de la race élue, debout sur leurs planches à voiles, ceux qu'on appelait « surfacers » voguaient dans des rayons d'or, ainsi les avait vus Christopher dans ces rayons de feu qui lui blessaient encore l'âme et les yeux: ces yeux éperdus d'envie, de désespoir aussi, sous l'opacité des lunettes noires. Eux valsaient sur l'eau, grimpaient vers le ciel au mât de leur yacht pendant que Christopher, vêtu de son blanc costume ou à peine d'un short d'une blancheur immaculée, prenait conscience qu'il ne pourrait jamais dépasser sa condition déjà précaire, celle d'un modèle Noir de Los Angeles qui éveillait le désir des vieillards: posant nu ou habillé, l'argent qu'il recevait était pour lui source de rancœur et d'humiliation. Jamais sa beauté ne serait celle d'un conquérant, il ne serait qu'un bel esclave payant amèrement chaque jour le prix de sa liberté. Incliné par sa nature à une paresse princière il troublerait l'ordre moral des Blancs, (celui qu'ils avaient établi depuis des siècles tout en étant des assassins) ce serait là, pensait-il, son défi vraiment audacieux: être libre de les hanter tous avec sa sensualité libre, affranchie de toutes peurs, de toutes servitudes, quand eux vivaient cette même sensualité dans la crainte et la culpabilité.

C'était l'heure du soleil couchant sur la mer, l'île était bienheureuse avec ses chants d'oiseaux, ses arbres en fleurs et Christopher se sentait calme parmi tous ces frémissements de la terre ardente, chauffée tout le jour par le soleil. Christopher franchit le pont qui le séparait de la terrasse et vint se joindre au groupe de serveurs dont les mouvements, lorsqu'ils se penchaient vers leurs clients, semblaient fluides, comme s'ils eussent suivi le mouvement de la mer, toute proche, avec la luminosité du soir. Il s'adressa à un garçon aux yeux bleus qui portait cet uniforme qu'il avait contemplé de loin, il s'entendit lui demander sur un ton insolent: «Il y aurait du travail pour moi ici?» Le garçon qu'il voyait maintenant de près, avec ses yeux bleus et ses boucles blondes, ne l'impressionnait plus, c'était un jeune homme venu du Nord, «un nouveau» expliqua-t-il et je t'assure on ne nous traite pas bien ici! «Déjà, il s'éloignait de Christopher pour jeter un plateau de nourriture aux poissons: c'était scandaleux, dit le garçon aux yeux bleus, cette abondance de nourriture que l'on rejetait ici, un troupeau de poissons voraces s'était rassemblé sous le pont, les touristes chuchotaient, riaient, "c'était scandaleux tout cela, dit le garçon dont les yeux étincelaient maintenant de colère", nous pourrions nourrir la population pauvre de l'île.»

— Mais il n'y a pas de pauvres, ici, dit Christopher, avec une feinte douceur. Bon, je vais descendre au bar voir le patron...

Son regard s'était durci, le garçon aux yeux bleus vit que Christopher ne lui témoignait aucune sympathie et son plateau vide à la main, il parut soudain accablé. «Je t'assure, on ne nous traite pas bien!» répéta-t-il pendant que Christopher quittait la terrasse en courant, car c'était toujours un événement bouleversant pour Christopher de découvrir ces dons de la sympathie humaine chez les autres, le garçon aux yeux bleus souffrirait beaucoup, plus tard, pensa-t-il, car tous ceux qui éprouvaient une vive compassion, et qui étaient nés Blancs, ne pouvaient être que des créatures divines, des saints ou des martyrs. Lui, Christopher, avec ses plaies ouvertes que nul ne voyait, car elles étaient ancestrales et les Blancs d'aujourd'hui les avaient déjà oubliées, était parmi ces saints et ces martyrs de la terre. Pourquoi le garçon aux yeux bleus, si réticent à agir mal, rejeter une nourriture qui eût dû nourrir le ghetto de l'île, devait-il partager ce privilège? Puis il regretta de lui avoir parlé avec l'insolence d'un supérieur puisque le garçon était visiblement du côté des victimes, qu'il était né ainsi.

Il était tard: en allant vers le bar où l'attendait le patron du Grand Hôtel, Christopher sentait l'écoulement du sable chaud dans ses sandales, il allait vers un homme qui incarnait à lui seul la puissance, il eût pu confondre cet homme corpulent, coiffé d'un chapeau de paille à l'un de ces grossiers mangeurs vers lesquels s'était incliné le garçon aux yeux bleus sur la terrasse: il vint droit vers lui, refusant la cigarette de haschisch qu'on lui offrait en disant qu'il voulait être serveur, il tremblait légèrement en lui parlant et ses dents blanches brillaient dans la nuit.

— Bien sûr, mon garçon, on verra ça, reviens me voir demain à midi... je serai en bas, près de la piscine...

Et à midi, le lendemain, la lumière était si coupante, sur l'eau, sur les toits roses et gris des petites maisons de bois que Christopher hésita à plonger dans une chaleur aussi torride, il se promena longtemps dans les dédales frigorifiés du Grand Hôtel songeant à cet air que les Blancs avaient inventé pour leur confort quand au-dehors la terre brûlait: elle brûlait plus encore en dessous, brûlant à sec, avec ses inondations de sang, mais un sang asséché, oublié, mais peut-être le Grand Incendie qui couvait sur le monde atteindrait-il aussi ces Blancs dans leurs fauteuils d'osier, pendant qu'ils contemplaient la mer? Christopher qui imaginait l'arrêt de sa vie avec la fin de sa jeunesse et le brusque déclin de sa beauté espérait cette explosion de cendres dans laquelle toute chose, bonne ou mauvaise, serait anéantie.

Midi. Le patron sortit lourdement de l'eau verte de sa piscine. Il mit son chapeau de paille sur sa tête chauve mais accueillit Christopher sans se vêtir, vêtu d'un bref maillot de bain noir d'où rebondissait toute une chair grasse et désemparée car on sentait qu'il avait peu de temps pour prendre soin de lui-même. «Je travaille trop», dit-il à Christopher en s'épongeant le front. Lui aussi, qui était peut-être un monstre de cupidité, tentait d'éveiller cela, cette faiblesse toujours prête à jaillir de l'âme de Christopher, de la sympathie pour un Blanc.

— Je viens pour mon travail, dit Christopher qui se tenait dignement devant cet homme nu, planté dans le sable, sous son chapeau de paille.

— Je sais... je sais, dit le patron qui prit Christopher par l'épaule, (Christopher frémit de froid à ce contact, cet homme qui ne se rhabillait pas, au sortir de la piscine, capable de coquetterie virile malgré sa laideur, en posant sa main sur l'épaule de Christopher, venait de le violer) allons par là...

— Mais par là, ce n'est pas la terrasse dit Christopher, dans un cri, car il voyait qu'on l'entraînait vers les salles du fond, les salles de la cuisine, déjà se répandait une forte odeur de fritures, «tu feras comme eux, au début, tu laveras la vaisselle, mon petit» dit le patron d'une voix onctueuse, «je t'assure, ce n'est qu'en attendant...». Et Christopher vit la rangée de dos noirs courbés vers l'eau savonneuse, ceux que l'on ne voyait jamais dans les restaurants, moins encore sur les terrasses ensoleillées, ceux qui lavaient la vaisselle, dans ces odeurs puantes de graisse, de poissons morts, et il pensait, «des nègres, les nègres de l'histoire, ils sont ici...». D'un seul bond, il avait quitté cette mine d'esclavage et de douleur, le patron l'appelait, mais il était dans la rue, plus loin, de plus en plus loin, dans l'île, l'âme des siens avait été abaissée une fois de plus, elle le serait demain et toujours, et Christopher pensa, les yeux embués de larmes sous ses lunettes qui miroitaient aveuglément dans le soleil, «moi, je ne serai jamais l'un de ces nègres... moi, non!» Mais ce jour-là, il avait perdu toute espérance.

Le voyage*

Le père disait à sa fille qu'ils allaient bientôt partir tous les deux, au loin, vers la campagne, les rivières, le fleuve. Il parlait ainsi à celle qui n'était rien, qui n'était pas encore une vraie personne, bien qu'elle sût lire. Elle avait un prénom, Aline, mais quand on l'appelait, elle ne répondait pas. Ce prénom ridicule, étant celui d'une fille, l'accablait, comme s'il eût contenu une malédiction secrète. Les parents connaissaient la nature de cette malédiction mais ils n'en parlaient pas. Ils savaient que celle qui n'était pas une vraie personne, dans sa robe de coton, avait quand même une âme, un cœur, et qu'elle était affligée comme eux d'une sorte d'intelligence du malheur d'autrui. La malédiction, c'était sans doute cela. Et de savoir lire avant d'aller à l'école. Le père disait aussi (mais cela elle le savait déjà) que les vraies personnes étaient au loin, dans d'autres pays, qu'elles souffraient et mouraient, sacrifiées dans des guerres qui couvraient le ciel de sang. Il disait que celle qui n'était pas une vraie personne avait bien de la chance de vivre ici, l'appartement était trop étroit, on y étouffait

* *Voies de pères, voix de filles*, Paris, Maren Sell & Cie, 1988.

en été, on y avait froid en hiver, mais, disait le père, même en prenant si peu d'espace pour une seule famille, on privait peut-être quelqu'un d'autre qui n'avait rien. Par ces temps de misères, disait-il, beaucoup de personnes n'avaient pas de toit. Mais elle ne savait plus s'il parlait d'ici ou d'ailleurs, car toutes les familles du quartier avaient leurs maisons, leurs ruelles, même si les rats y rôdaient et mordaient les bébés dans leurs berceaux. Il y avait aussi une épidémie de méningite qui menaçait ces bébés, les uns après les autres, mais ce n'était pas comme là-bas, au loin, où il y avait la guerre. On ne devait pas se plaindre, disait le père. Celle qui n'était pas une vraie personne regardait le père se lever à l'aube, se raser, se laver devant le petit miroir de la cuisine et partir vers l'usine sur sa bicyclette grinçante, sous un ciel qui semblait très bas, comme s'il eût été placé au-dessus de la casquette du père, contre son visage pâle et émacié dans les premières lueurs du jour.
C'était l'heure du matin où celle qui n'était pas une vraie personne restait muette, trop triste pour parler, n'osant raconter ses mauvais rêves, trop triste aussi pour ouvrir le catalogue des grands magasins où elle avait appris à lire, pendant que la mère préparait la bouteille (et son mélange de lait tiède et de sucre) pour Kimo; Kimo, que les parents avaient ramené de l'orphelinat il y a quelques mois. Le père avait dit en partant: «Ne va pas encore jouer avec les voyous et prends soin de ton frère.» Aussi attendait-elle que Kimo eût fini d'avaler cette malodorante bouillie pour descendre avec lui dans la cour. Même s'il buvait encore de cette bouteille gluante qu'il traînait parfois toute la journée, Kimo commençait à marcher, mais s'arrêtait constamment pour pleurnicher, se cachant le

visage dans les jambes de celle qui n'était pas une vraie personne et qui avait parfois la tentation de le repousser. Depuis que Kimo était là, avec ses yeux bridés et son teint jaunâtre, Aline sentait que son prénom comme sa personne avaient moins de consistance encore qu'autrefois quand elle pouvait jouer avec les voyous de la rue. Il lui arrivait de les vaincre, à coups de bâton, dans des jeux sur la glace en hiver ou lorsqu'ils se lançaient des pierres par les brûlants après-midi d'été dans la ville déserte. Avec Kimo qui larmoyait, collé à ses jambes, elle était désormais de ceux qui recevaient les coups. Avec Kimo, c'était la guerre bien qu'il n'y eût pas de sang à l'horizon comme elle en voyait dans ses rêves. C'était un sang d'un rouge épais et poisseux qui tombait comme une pluie sur les champs. Mais il n'y avait pas de champs autour, seulement l'asphalte des rues. Là-bas les petits enfants assassinés tombaient par morceaux dans les champs, ici, un bras, là, une tête aux cheveux blonds, ils étaient tous beaux, et profondément endormis sous les nuages noirs. « Tu as fait un cauchemar, rendors-toi », lui disait le père quand elle lui expliquait tout ce qu'elle avait vu au loin, et toujours à cet instant-là, il lui disait qu'ils partiraient bientôt, tous les deux, qu'ils verraient la campagne, les rivières, le fleuve. Et plus tard, dans cet air si pur, près des montagnes, on ferait venir Kimo, la mère, et le père (bien plus tard, longtemps après, un jour) ne travaillerait plus dans cette usine où les fumées étaient dangereuses, où l'on perdait sa santé, en même temps que l'espoir. Il aurait une voiture, peut-être vieille, usée, mais le patron qui avait toujours besoin du père, le jour comme la nuit, à toute heure, il téléphonait au père, le réclamait avec des mots durs, violents (et la mère disait en se redressant fièrement: «Non, toi, tu ne peux pas accepter cela, cet homme ne te respecte pas...»), et le père s'inclinait, obéissait à ces ordres impérieux, mais le patron lui avait promis une voiture afin qu'il pût se déplacer plus vite, oui, on partirait, on voyagerait, tous les deux, disait-il. On aurait peut-être le temps d'aller à la pêche à la truite. En attendant, l'usine dominait tous les toits du quartier et ses fumées laissaient une sueur grasse jusqu'à l'intérieur des maisons, cette meurtrière poussière que la mère essuyait avec un linge sur la table, le soir. Ces poussières, ces fumées, dans lesquelles on mangeait, dormait, mourait. Le père était jeune, pensait celle qui n'était pas une vraie personne, il n'avait pas été blessé à la guerre puisqu'il n'y avait pas de guerre, sauf pour elle et Kimo, à l'ombre des cours puantes — et sans arbres —, mais si le père était jeune, pourquoi paraissait-il si vieux quand elle le voyait qui laçait ses chaussures, au milieu de la nuit (car le patron l'avait encore appelé) dans les reflets de la lampe électrique qu'il fallait allumer à la fin des nuits de l'hiver? Non, ils ne partiraient jamais vers ces rivières, ce fleuve mystérieux où l'on pêchait en été, il était déjà tout cassé et fébrile comme un vieillard, mais lui, sans doute était-il une vraie personne, une personne indispensable aux autres puisque le patron de l'usine ne cessait de l'appeler, même en pleine nuit, ce qui faisait pleurer la mère, car elle n'aimait pas que son mari fût cet être diminué, quelqu'un qui obéissait à des ordres. Pourtant ce n'était pas un vrai malheur comme il y en avait là-bas, au loin. «Une panne, disait-il, il faut que j'aille, personne ne peut réparer ces machines, sauf moi...» Ce n'était pas un malheur mais la mère pleurait lorsque le patron de l'usine téléphonait la nuit et Kimo se réveillait en criant, comme s'il eût été encore à l'orphelinat et qu'on l'eût battu. Alors, personne ne dormait plus. D'un geste prompt, le père se coiffait de sa casquette, et Aline savait qu'ils ne partiraient pas ce jour-là, même si c'était un dimanche. Et soudain le père disait avec sévérité à celle qui n'était pas une vraie personne: «Ce n'est pas bon de savoir lire avant d'aller à l'école, surtout pour une fille...» La mère avait tort aussi, disait-il, lui qui d'habitude était patient et doux, mais soudain sa voix était sévère, oui, la mère avait tort de regarder ces objets de luxe dans le catalogue des grands magasins, ces objets qu'il ne pouvait lui acheter, c'était de l'égoïsme, disait-il, par ces temps de grandes misères au loin. Et il y avait maintenant Kimo à nourrir. Kimo qui ne serait plus jamais un orphelin, Kimo qui échapperait au brasier des victimes de la terre. Celle qui n'était plus une vraie personne écoutait le père en tournant les pages du catalogue des grands magasins que la mère avait oublié de refermer, sur la table, la veille. C'était l'heure où elle était silencieuse et triste, l'heure du départ du père vers l'usine quand il avait le dos courbé et que ses joues disparaissaient, se creusaient de plus en plus sous l'étoffe de sa casquette grise. Mais il y avait eu un temps où elle avait été plus triste encore, où, à l'aube, la lumière avait été plus terne, c'était quand des barreaux de son lit elle avait vu le père qui étudiait toute la nuit dans des livres qui semblaient avoir été écrits dans une autre langue et qui contenaient les innombrables dessins de ces machines qu'il faisait fonctionner et qu'elle détestait presque autant que ces machines de guerre qui broyaient des corps contre les arbres, là-bas, au loin, car ces machines hostiles et gémissantes, celles de l'usine, anéantissaient la vie de son père, comme celle de sa mère et de Kimo, dans les nuages d'une fumée noire, opaque.

Puis venait le dimanche et, lorsque le patron ne téléphonait pas, plutôt que de se reposer le père allait à l'église. Les beaux jours, il y amenait celle qui n'était personne, dans le panier de sa bicyclette, et c'était là un petit voyage, disait-il... Lorsqu'il la déposait, dans l'herbe jaunie, devant l'église (il semblait n'y avoir de l'herbe et des fleurs qu'en cet endroit), celle qui se sentait si dérisoire dans sa robe de coton se mettait soudain à haïr cet homme parce qu'il était bon, pieux et fragile. Que ferait-il à l'église pendant qu'elle sauterait, sur une jambe, sur l'autre, que ferait-il à genoux, dans sa méditation ardente, sinon prier pour toutes ces vraies personnes qui mouraient au loin, lui sur qui pesait la malédiction secrète de tous les malheurs? Voilà pourquoi ils avaient adopté Kimo, eux qui étaient démunis: ils voulaient être riches d'un amour dont la terre était ailleurs dépeuplée, dépossédée. Et ce don d'amour leur pesait, c'était sans doute cela, plus que le patron et l'usine, qui les empoisonnait. Si des maisons d'accueil pour enfants avaient rejeté Kimo, si des camps de tortures s'ouvraient pour ceux qui avaient la peau jaune et les yeux bridés comme Kimo, pourquoi eux avaient-ils choisi la guerre avec Kimo dans ce pays où régnait la paix? Mais c'était une paix sans tendresse, sans amour, disait le père, lorsqu'ils revenaient de l'église et que soudain il sifflait, un brin d'herbe entre les dents, parcourant à bicyclette le quartier et ses chétives ruelles, contournant les rues où les rats mordaient les bébés, se rapprochant, eût-on dit, de la lisière de ces routes qui les attendaient et vers lesquelles ils partiraient un jour. Mais elle n'aimait pas ces lieux, même lorsque le père sifflait quelque mélodie tendre entre les dents, ce qui était rare, mais cela arrivait parfois après l'église, elle n'aimait pas qu'ils reviennent toujours par ici, là où il n'y avait pas de guerre, pas de vraies personnes, mais une armée de voyous qui les attendaient chaque jour, elle et Kimo, avec des bâtons et des pierres. C'est ainsi qu'elle avait toujours Kimo qui enfouissait sa tête dans sa robe, Kimo qui ne vivait pas au loin, qui n'était pas un cadavre dans un champ mais qui vivait là tout près d'elle, son frère qui ne souffrait que de blessures minimes dans une petite ville où n'éclataient pas les bombes, où l'on ne voyait que le fantôme des soldats qui tous s'en allaient ailleurs, ne s'attardaient pas dans un pays où régnait la lourde paix, la paix sinistre. C'est en promenant Kimo dans ces rues, Kimo qui ne cessait jamais de pleurnicher, qu'elle avait détesté le père, sa bonté qui avait attiré à eux tant de cruautés, qui les avait plongés dans la guerre, mais une guerre impure où elle ne parvenait pas à devenir une vraie personne tant l'autre qui se déroulait au loin, la seule guerre, semait partout de vraies victimes, tant mouraient là-bas de vraies personnes qui étaient parfaites dans leur étrangeté. Ces personnes n'avaient qu'à tomber, qu'à mourir, dans des paysages de fleurs et de sang, quand ici, sans avoir à mourir, on se décomposait. La mère, le père, Kimo, elle, tous, ils devaient être atteints par cette fumée qui flottait honteusement au-dessus des maisons, une fumée dans laquelle ils dépérissaient, sur cet asphalte où l'on ne voyait jamais de fleurs et peu de sang. Puis, un jour, sans avoir annoncé qu'ils partiraient en voyage, le père eut cette voiture dont il ne pouvait se servir que pour son travail, lui avait dit le patron, mais ils partiraient, oui, dimanche, peut-être, ils verraient enfin la rivière, le fleuve, disait le père à la fille, cette fois, ils ne tarderaient plus à être heureux. Comme d'habitude le patron avait téléphoné au père, pendant la nuit, Kimo s'était réveillé en criant, mais le père, lui, se réjouissait, il disait qu'aujourd'hui sa tâche serait agréable, puisqu'il avait la permission d'amener celle qui n'était pas une vraie personne, à la campagne, près d'un lac. Longtemps, elle avait regardé cette voiture qui ressemblait à un convoi funèbre, longue et bosselée; peu de temps avant ce voyage, elle avait eu peur, mais ce n'était que dans ses rêves où elle avait vu Kimo, endormi parmi les autres, au loin, Kimo dont les yeux bridés étaient clos et que même en le secouant très fort, on ne parvenait plus à réveiller. Mais il n'y avait pas eu de sang, dans le rêve. Une pluie de lave et Kimo qui était là, immobile, jaune et noir.

C'était un dimanche d'été, le jour de ce voyage, et le père sifflait sa chanson. Longtemps ils avaient pu contempler les champs, les forêts, de loin, sans quitter la voiture qui ressemblait à un convoi funèbre. Elle avait demandé si l'on pouvait s'arrêter, aller courir dans l'herbe, et le père avait dit, il faut attendre, nous serons bientôt là, et c'est si beau là-bas, l'herbe est haute et drue et la maison, quand tu verras la maison, c'est un paradis là-bas. Elle avait pensé que l'eau, le ciel, les forêts deviendraient peut-être des choses réelles, des choses sensibles qu'elle pourrait toucher avec ses yeux comme les lettres dans le catalogue des grands magasins. Peut-être en respirant l'air, le vrai, l'air qui était vivant, deviendrait-elle une vraie personne, à son tour, comme l'était son père. Mais rien n'était sûr, car elle avait fait un mauvais rêve. Le père avait maintenant ce visage pâle du matin qu'elle n'aimait pas. Il avait ri, il avait chanté pour elle, et soudain il se taisait, devant les arbres et le ciel qui n'étaient plus des choses vibrantes ou sensibles, comme ils l'avaient été un instant plus tôt.

C'est qu'ils se rapprochaient de la propriété du patron, de ses domaines, de son lac où personne ne pêchait la truite. Un grillage de fer les séparait encore des jardins somptueux ordonnés comme si une main les eût dessinés au couteau; il semblait y avoir là beaucoup d'ordre et de tranquillité, mais autour d'eux, dans la chaleur, l'air s'était figé. Soudain, ils entendirent les chiens, et le père dit: «Il ne faut pas avoir peur, ils vont venir tout près de nous, mais je les connais, je viens souvent ici, il y a toujours quelque chose qui se brise dans cette maison, j'ai les clés, je suis comme chez moi, ici», disait-il à sa fille sur un ton léger où perçait l'inquiétude. Mais à cet instant, elle avait à nouveau méprisé en lui cette bonté douce, esclave, cette bonté qui le rendait soudain si cruel à ses yeux, car il avait ouvert les portières de la voiture qui ressemblait à un convoi funèbre et il disait en écartant les chiens féroces qui montraient leurs crocs: «Allons, viens, tu peux courir, autant que tu veux, tout cela est à toi, j'en ai bien pour quelques heures, avec leurs machines, dans la cave.» Et comme c'était une vraie personne, les chiens ne s'attaquaient pas à lui, mais ils eussent déchiqueté sa fille qu'il dut vite prendre dans ses bras et remettre à l'abri dans la voiture qui sentait la mort. Il semblait surpris qu'elle eût des réactions si craintives: comme il était une vraie personne, pensa-t-elle, il devait penser qu'elle avait bien peu de courage devant le danger, qu'une vraie personne eût affronté les chiens, comme il avait affronté la guerre avec Kimo, la guerre qui était maintenant tout autour de la maison, la guerre qui était partout. Il dit avec son implacable douceur, tout en enfermant celle qui n'était rien dans le convoi funèbre, et il bouchait toutes les issues, afin qu'elle ne fût pas dévorée par ces chiens qu'il avait domptés, mais qui n'obéissaient qu'à lui, il dit, pendant que les chiens hurlaient: «Tu es ma fille, pourquoi as-tu peur? Ce sera long avant de recommencer un nouveau voyage, le patron ne nous invite pas ici tous les jours...» Son visage était posé tout près d'elle, contre la vitre transparente, il disait: «Viens jouer, je m'arrêterai pendant une heure, regarde ce beau lac nous irons à la pêche», et elle regardait ce visage qui allait s'éloigner, disparaître, comme tous les matins, sous l'ombre de la casquette, elle ne voyait que lui, pas le lac ou les arbres ou les jardins coupés comme au couteau par une main experte, mais ce visage, pâle, émacié, celui d'une victime que la guerre avait oubliée ici, avec elle, sa mère et Kimo, la guerre dans un pays de paix. Et peu à peu, il s'éloignait, avec ses outils, sous les arbres, vers la maison, vers ces jardins où il lui était interdit de jouer, de courir, et sous l'œil vigilant des chiens qui la guettaient, glissant avec leurs griffes contre la voiture, elle attendit tout le jour la fin de ce pénible voyage où elle était devenue, comprenait-elle enfin, une vraie personne qui écarterait cette malédiction qui avait pesé sur eux.

Le tourment*

À cette heure du soir, lorsque le soleil se couchait sur l'océan, Gentry apercevait soudain cette fine écume de sang qui montait à l'horizon, il allait et venait sur la terrasse fluide, entre le ciel et la mer, insensible à la basse rumeur des clients tout près, à leurs rires grossiers dans l'air frais de la nuit qui approchait; ces hommes, ces femmes, assoupis tout le jour dans la chaleur du soleil, repus de nourritures et d'alcool, avaient donc déjà oublié les massacres des années de guerre, ces massacres que Gentry fuyait ici encore, dans l'espoir d'un dernier refuge, dans ce bar qui ressemblerait dans quelques heures à un fond de cour désertique ouvert sur l'océan. Qui sait, il y avait peut-être parmi ces vils touristes, un ami, un camarade d'université qui pourrait encore le dénoncer, venir jusqu'ici surprendre son secret; il souriait, feignant la courtoisie froide, le repliement glacé du sourire sous ses lunettes noires, n'eût-on pas dit un serveur parmi d'autres dans son ample chemise à fleurs rouges, son short kaki, l'uniforme du serveur dans ces régions lointaines du Sud, et puis qui se souvenait encore de

* *L'Atelier imaginaire*, Lausanne, L'Âge d'Homme, 1988.

lui depuis Harvard, l'École de Médecine, le temps où l'on rejetait les objecteurs de conscience en prison, qui se souvenait de Gentry, beau et jeune et soudain brisé d'un seul coup comme on lui avait brisé les reins d'un coup de fouet dans cette infecte prison du Pérou où il avait poursuivi, parmi d'autres jeunes trafiquants de drogues, sa méditation autour d'une guerre qui les avait tous marqués, qu'ils fussent pacifistes comme Gentry, John, ou soldats déchus comme Freddy et tant d'autres, n'avaient-ils pas tous été flétris par la même souillure, pensait Gentry ? Mais qui se souvenait de Gentry sous ses lunettes noires et le masque distant du sourire, qui aurait pu reconnaître un meurtrier ou celui qui aurait pu le devenir, sous ce visage en apparence innocent et serein, avec ses joues brunies par le soleil, son air de saine bonhomie? Et puis, au col de la chemise à fleurs rouges, ne voyait-on pas encore, ce qui lui semblait soudain indécent, quelques-unes de ces boucles blondes de sa chevelure d'autrefois, avant cette ère de barbarie, lorsque les hommes jeunes avaient les cheveux encore longs, eux que l'on enverrait bientôt si loin, sans boucles, sans cheveux, avec leurs têtes rases sur des épaules puissantes, eux qui bien souvent, ne reviendraient pas. Et soudain, le sourire de Gentry se métamorphosait en un rictus cruel, on l'avait tué, il n'avait pas consenti aux crimes de son pays, il n'avait pas incendié des huttes de paille, de son avion meurtrier, il n'avait pas brûlé au napalm des champs de riz et pourtant, il voyait courir des petites filles dans les flammes, la nuit, il entendait leurs cris, leurs hurlements de douleur dans tous ses rêves, aussi, dormait-il très peu, errant toute la nuit dans la ville, et cela commençait à cette heure du soir lorsque l'écume de sang scintillait sur les vagues;

parfois l'une de ces vagues monstrueuses venait jusqu'au rivage, elle se déposait là, sous les planches de la terrasse et Gentry voyait tous ces morts calcinés que remuait l'eau sale, mais ces morts qui lui inspiraient tant de honte, de terreur aussi, ne les avait-il pas toujours vus, même lorsqu'il recherchait pour les oublier cet état de stupeur hagarde que lui procuraient les drogues, effondré, au bord des routes, en Amérique du Sud ou ailleurs, il se sentait assailli par eux comme par ce soleil dément qui ne lui laissait jamais aucun repos, ce soleil qui était toujours celui de la guerre, de la destruction des peuples par le feu.

Parfois, l'écume de sang se distillait en une brume dorée, ce pays était d'une exécrable douceur, pensait Gentry, ici, on ne pouvait éprouver que l'égoïste bonheur d'être vivant dans un lieu magnifique, on oubliait le passé, le sang des innocents qui se figeait à l'horizon; Gentry n'était-il pas le seul homme de sa génération capable de ressentir encore sa malédiction cachée, et cela, parce qu'il n'avait pas sauvé John de ses assassins, dans cette prison, en Amérique du Sud, ne s'était-il pas évadé seul laissant John à des gardiens féroces qui l'avaient torturé puis abattu d'une balle dans la nuque, ces tortionnaires tuaient pour un peu de cocaïne volée et John à peine sorti de l'adolescence était une proie fragile, c'était si peu de temps après l'immense boucherie de la guerre, pensait Gentry, et même lorsqu'ils étaient encore libres sur les routes, John, Gentry ne voyaient-ils pas partout ce trouble soleil rouge qui envahissait l'horizon? N'étaient-ils pas condamnés à une mort précoce? Ceux qu'on avait appelés «les enfants des fleurs», ces pacifistes ardents, ces objecteurs de conscience épris d'une paix juste — mais y avait-il une paix, un ordre justes dans un monde aussi sanguinaire, pensait Gentry, tous, n'avaient-ils pas été sacrifiés parmi les autres victimes de la sinistre guerre dont on ne parlait plus? Gentry observait l'insolent sourire des jeunes serveuses qui le frôlaient au passage, sur la terrasse; elles ne savaient rien de ce monde hideux dans lequel elles allaient vivre, on ne les avait pas encore trahies, pensait Gentry, ces jeunes filles frivoles dansaient toute la nuit dans les discothèques de la ville, aux sons d'un jazz décadent, d'une musique ragtime aussi qui remplissaient Gentry d'une pénible nostalgie pendant ces nuits où il traînait jusqu'à l'aube sur la plage, ne sachant plus quel sens il pourrait désormais apporter à sa vie, il apercevait ces silhouettes légères là-haut, au sommet des terrasses illuminées qui surplombaient la mer, l'île était en fête et John était mort, il ne l'avait pas sauvé, il n'avait pas non plus aidé à mettre un terme à cette guerre atroce qui avait avili son pays, autrefois, avec John, il avait écouté cette musique en pensant au fracas assourdissant des armes, au loin, il avait cru entendre l'éclatement des bombes dans les champs de riz; tous les soirs, pendant que des familles entières aux États-Unis comme ailleurs assistaient à l'heure du dîner à ce funèbre spectacle de leur guerre, il avait dit à John «nous effacerons un jour tous ces crimes...» et ces crimes couvraient encore la terre de leurs couches de cendres, et cette génération de John et de Gentry qu'on avait appelée avec candeur «Les enfants des fleurs» ces enfants n'avaient-ils pas commis depuis ces jours-là où ils jugeaient les meurtres de leurs présidents, de leurs armées, de leur père, à la télévision, en dînant le soir, n'avaient-ils pas à leur tour commis bien d'autres crimes eux aussi? «Tu sors avec nous, ce soir, Gentry?» lui demandaient ces voix rieuses, dans l'air du soir — et Gentry allait et venait tenant avec rigidité le plateau et ses boissons roses arrosées de rhum, ce rhum qu'il consommait en secret toute la journée, en dissipant le goût âcre dans une boisson gazeuse, son ivresse était lente et amère, exacerbée par la familière sensualité des filles qui l'entouraient, ne l'appelaient-elles pas maintenant «Ce vieux jeune homme du temps de la guerre du Vietnam qui n'a pas fait la guerre», en se rapprochant les unes des autres dans leur moqueuse complicité, et Gentry pouvait lire ces mots en lettres noires au dos de leurs chemisiers que gonflait le vent; «Last Resort», Dernier Refuge pensait Gentry, pour celui qui ne trouvait pas sa place sur la terre, il avait cru autrefois avec John que ce dernier Refuge il l'avait atteint au Pérou, sous le soleil dément, mais les confins de la terre, n'était-ce pas plutôt ici, sans John, sur cette île, qui se peuplait déjà des fantômes du passé, car sortaient de l'ombre ceux que Gentry eût préféré ne jamais voir dans la clarté du jour, ces jeunes vagabonds hirsutes encore chaussés de leurs bottes d'hiver qui avançaient vers la terrasse, se cherchant un gîte pour la nuit à travers leur somnolence un peu ivre, car, parmi eux, il y avait Freddy, ce vétéran hippie dont on entendait grincer la chaise roulante le long de la rampe de bois qui semblait lui avoir été destinée, c'était lui, l'ancien soldat blessé qui venait ici tous les soirs hanter la conscience de Gentry; il transportait sur ses jambes inertes un sac de couchage qu'il avait enroulé avec une corde autour de son cou et une lourde provision de bières dont il se désaltérait tout le jour en enfouissant son maigre visage sous sa casquette. Gentry contemplait les pieds nus de Freddy, ces pieds crasseux dans leurs bottines de soldat; il lui semblait que le douloureux visage de l'infirme se reflétait dans ses lunettes miroitantes pendant qu'il allait et venait avec son plateau et comme chaque soir, il entendait ces mots que prononçait Freddy avec rage: «Si c'était à refaire, je les tuerais tous, je sortirais mon briquet de ma poche et je mettrais le feu à leurs maisons...»

— Tais-toi, tu es fou, c'est le crack...

— Nous étions une armée de jeunes sadiques, nous le sommes encore... ah, si j'avais encore mes jambes...

Car Freddy semblait voir devant lui, pensa Gentry, cette autre vague de martyrs dont on avait parlés dans le journal du matin, Dennis, William, Ivan, James, Garreth, tous morts à vingt ans... «Morts à Panama..., dit Freddy qui brandit le journal dans le vent, tous ils appartenaient au premier bataillon de leur armée... ils seront honorés sous les drapeaux... Moi aussi, j'ai été parachutiste, mais ils m'ont eu... quel massacre... quel massacre», répétait Freddy avec égarement, et Gentry entendait cette plainte qui montait de Freddy, de son corps enfoncé dans la chaise roulante sous le sac de couchage et les cannettes de bière, la sinistre guerre était toujours là même si on l'avait oubliée, pensait-il, Dennis, William, Yvan, James, Garreth, qu'avaient-ils fait pour aller mourir au loin, être sacrifiés, avec quelle indifférence leurs aînés, leurs pères, perpétuaient ces crimes et ces sacrifices, au nom de la patrie, et il déposait devant lui, aux pieds de cette génération prospère que toutes les guerres avait nourrie, enrichie, l'offrande de ses boissons roses arrosées de rhum, quelle ironie, pensait-il, il leur avait déjà donné sa vie à tous, comme l'avait fait John et eux qui étaient repus de nourriture et d'alcool se prélassaient dans les derniers rayons du soleil, ils avaient survécu avec bonheur, sans même un pli dans leur chair grasse et satisfaite, à la guerre de Freddy, à ses éclats d'obus dans les jambes comme à la destruction de John, Gentry par les drogues, il y avait longtemps qu'ils dînaient paisiblement le soir, devant la télévision, insensibles depuis longtemps aussi aux champs de riz brûlés par le napalm, désormais ils avaient d'autres inquiétudes, le monde n'engendrait pour eux et leur progéniture que des malaises sociaux de plus en plus accablants et graves, mais à cela, ne survivraient-ils pas aussi, pensait Gentry, ils survivraient à ces maladies mortelles qui n'affectaient que les autres, le crack, le sida, paisiblement, ils seraient encore une fois épargnés, et ils baignaient, heureux, dans les jus sucrés de l'île, conquis par cette douceur du climat, cet air odorant, Dennis, William, Yvan, James, Garreth, c'était bien dommage, pauvres jeunes gens, bien dommage, mais ils avaient servi la patrie, pour les champs calcinés au napalm il ne fallait pas trop s'inquiéter, après tout, même à Hiroshima, un jour on avait vu les fleurs et les légumes repousser.

Et soudain Gentry pensa que cette guerre que l'on ne nommait plus qu'avec une certaine honte autour de lui, avait peut-être toujours été pour lui la justification de tous les échecs de sa vie; on pouvait errer sur les routes, s'abandonner au trafic des drogues, avec John au Mexique, au Pérou, rien ne comptait plus après le Vietnam et la prison parce que l'on avait refusé de prendre les armes comme tant d'autres, Dieu ne vous aimait pas, ni le monde, ni les hommes, il était interdit de penser à une vie normale, ces jeunes gens le savaient bien lorsqu'ils discutaient de suicides collectifs, en prison, d'une cellule à l'autre, c'était la première fois, dans l'histoire, pensait Gentry où l'on pouvait contempler le suicide comme un remède à tous les maux qui dévastaient l'humanité. Cet holocauste par le feu était si répandu qu'on le voyait même à la télévision, pensait Gentry; des moines Bouddhistes offraient stoïquement leurs vies; on les voyait disparaître dans les flammes, leurs fronts nobles s'inclinant dans des gerbes de feu, que fallait-il faire disaient John et Gentry, fallait-il imiter cet héroïque courage ou commencer avec les camarades une grève de la faim, ou se jeter de désespoir du quinzième étage d'un édifice à New York comme venait de le faire un ami, ou aller devant le Pentagone montrer à tous le scandale de tant de violences en se sacrifiant soi-même comme d'autres pacifistes le faisaient aussi car n'était-il pas vain de tenter de vivre quand le feu était partout sur vos pas, quand, sur les champs de bataille, comme dans les prisons et les églises, on ne trouvait jamais aucun réconfort, aucune trêve, aucune paix? «Mais toi, Gentry, tu ne m'as jamais dit de quel côté tu étais en ce temps-là» disait Freddy d'une voix insidieuse, en poussant sa chaise vers l'océan, s'arrêtant à la rampe de bois comme s'il eût été un insecte noir démesuré rampant sous le ciel bleu, pensa Gentry en le regardant avec un sourire crispé, sous ses lunettes, tous les soirs, pensait-il, Freddy venait là avec ses vagabonds, tous ces petits consommateurs de coke et de crack finiraient bien par être pris, la patrouille marine ne passait-elle pas à sept heures mais pas tous les jours, avec ses lampes et ses chiens, et Gentry ne parvenait pas à les chasser de la terrasse car il avait peur d'eux, peur de leur brutalité experte, de leur rude jeunesse, et Freddy ce soldat déchu, ce tueur blessé était leur chef symbolique, lui que l'on n'avait pas honoré sous les drapeaux, lui qui avait peut-être une histoire sale et obscure dans l'armée, qui n'était qu'un ignorant tueur que l'on eût payé pour ses crimes, ou peut-être, personne, pensait Freddy, un pitoyable individu, une loque, un pauvre garçon dont l'État avait abusé, un charognard comme Gentry en avait tant rencontré sur les routes, de ceux qui mangeaient dans les poubelles, Gentry les connaissait bien, et maintenant, les serveuses ne l'appelaient pas, il avait bien le temps de fumer une cigarette, derrière le comptoir du bar, de verser un peu de rhum dans un verre d'eau gazeuse, les filles avaient remarqué son haleine parfumée au rhum, jamais il n'eût touché aux drogues maintenant, et toute la nuit il allait errer après le travail, après toutes ces servitudes de la journée, se baisser vers les autres, les servir, participer à leur cupidité, leur délassement lui que rien ne délassait, errer sous les terrasses des discothèques, enfin, il serait seul, seul contre les vagues monstrueuses de l'océan, fuyant toujours tout ce qui lui faisait si mal, John qu'il avait oublié là-bas, dans un jardin d'orties, John qu'il n'avait pas sauvé dans cette prison au Pérou, lui criant: «Donne-moi la main, saute par-dessus le mur, les chiens sont derrière nous...» mais John tardait à apparaître, on eût dit qu'il se traînait dans la poussière, on eût dit qu'il n'entendait pas la voix de Gentry; il s'écroulait contre le mur, on l'avait tué, un nuage de sang couvrait son visage.

Et toujours à cette heure du soir lorsque le soleil se couchait sur l'océan, Gentry voyait la fine écume rouge qui montait à l'horizon et il entendait la voix de Freddy qui lui répétait perfidement: «tu ne m'as jamais dit, Gentry, de quel côté tu étais autrefois...

vous autres, les intellectuels, vous êtes trop raffinés, trop délicats pour la guerre... Cela ne concerne que les pauvres hein?» et une ivresse cruelle envahissait son cœur, c'était l'heure où la lente griserie du rhum commençait à durcir son esprit tout en énervant ses sens, il pensait en regardant le visage grimaçant de Freddy sous sa casquette, «Dommage qu'il soit revenu vivant de toute cette tuerie... Il a une âme de bourreau...» et il lui disait avec dureté soudain: «Toi et tes amis allez plus loin, retournez à la plage, ce sera bientôt l'heure de préparer les tables pour le dîner...» sachant pourtant que Freddy et ses amis ne s'en iraient pas, ce bar ouvert sur l'océan comme toutes les plages de l'île, tout ne semblait-il pas appartenir à ces quelques misérables et les touristes ne tarderaient pas à s'éloigner d'eux, drapés dans leurs longues serviettes de bain ils iraient vers leurs hôtels luxueux ou leurs résidences sous les palmiers et bientôt les serveuses s'en iraient à leur tour et Gentry les reverrait à l'aube; elles seraient encore fraîches et rieuses après leur nuit dans les discothèques de la ville et lui tituberait d'ivresse près de son vélo, l'une d'elles lui dirait en filant sur sa bicyclette «Bonne nuit grand frère, ne sois pas si triste...» et sa solitude, le sentiment de sa perpétuelle désolation sur la terre lui feraient honte, il pensait maintenant qu'il était vain de vouloir préparer les tables pour le dîner, le vent se levait, bien qu'il y eut toujours cette fine écume rouge à l'horizon et peu à peu l'océan prenait la couleur de l'acier, ce serait orageux ce soir, il faisait si chaud et soudain avec ces vents qui annonçaient l'orage, on frissonnait de froid, pensait Gentry ces vils touristes sentaient passer sur eux ce souffle glacé, ils partaient en se pressant les uns contre les autres et Gentry pensa qu'il était jaloux d'eux tous, de cette protection qu'ils semblaient recevoir de la vie, eux ne semblaient jamais être seuls et il regardait Freddy avec hostilité Freddy qui n'était pas seul au monde, qui avait une famille parmi les pushers et les délinquants, une femme que Freddy appelait «mama» ne le suivait-elle pas partout accompagnée de ses trois enfants, Freddy et sa bande dégénérée n'avaient-ils pas trouvé ici leur paradis quand ce Dernier Refuge était pour Gentry l'image de l'enfer, il était enfermé dans l'île, ne pouvait plus même s'en évader, pensait-il, captif de cet océan, de ces nuages bas, de ce vent orageux qui allait bientôt renverser les tables et les chaises sur la terrasse, et ce rhum consommé en secret lui donnait la nausée; autrefois les drogues dures, et maintenant cette vicieuse habitude du rhum, c'était une mort lente mais il ne voulait plus vivre, qui sait, c'est peut-être Freddy qui avait eu raison, il avait eu le courage de se battre, d'affronter la mort, défendre la paix en temps de guerre, n'était-ce pas une illusion, ah ce temps ancien où il avait eu le désir d'être pur et bon, Gentry, John, objecteurs de conscience devant choisir entre l'exil et la prison, n'avait-il pas été lâche dès la fin des combats, n'était-ce pas lui, Gentry, qui avait offert des drogues à John, oh, le LSD à l'époque ce n'était rien un morceau de sucre que l'on avalait et quelles superbes hallucinations ensuite, Dernier Refuge, Dernier Refuge, pensait-il, et était-ce au Pérou ou ailleurs, il revoyait John couché sur un trottoir, la nuit, il lui disait en le secouant avec cette feinte vigueur euphorique qui était la sienne depuis qu'il se droguait: «Voyons relève-toi, John, ou bien tu passeras la nuit en prison... Les policiers rôdent autour de nous... nous sommes perdus si tu ne te réveilles pas... qu'est-ce que tu as fait; cette fois, de la mescaline, de la coke, réveille-toi, John...» et John murmurait plaintivement qu'il était trop engourdi pour se lever, il était si faible si vulnérable dans son jean poussiéreux, allongé là sur le ciment, c'était bien au Pérou, Gentry emportait John, il le laissait glisser sur ses épaules le long de son dos c'était un léger fardeau et les gardes, les chiens se rapprochaient, ils étaient tout autour soudain, une muraille, on ne pouvait plus s'enfuir John Gentry, les menottes aux poings, soudain Gentry avait vu un jeune homme noir il avait quinze ans peut-être, il allait être emprisonné avec eux, il avait vu son profil droit et fier sous les lumières du néon au moment où on les arrêtait tous, les insultant en langue étrangère, que faisaient-ils tous dans les rues si tard la nuit, on leur arrachait leurs passeports, ils n'avaient plus de parents, d'amis et le garçon noir souriait aux policiers avec son insolence fière, ils seraient ensemble tous les trois dans la même cellule, sans air, sans eau, John succomberait le premier, sans air sans eau, autrefois, il y avait déjà si longtemps et tous avaient oublié Gentry devenu serveur, mais Freddy et sa bande étaient toujours là, ils riaient sous les gouttes de pluie qui mouillaient la terrasse, les petits garçons de la «mama» couraient nus dans les vagues, «Rentrons les tables et les chaises, criait le cuisinier qui apparut soudain, vêtu d'un costume blanc fripé, nous aurons un violent orage... c'est bien dommage pour mes Délices au chocolat de ce soir... Je voulais surprendre les clients... j'avais mis une rose sur chacun de mes gâteaux... Rentre, Gentry, il n'y aura personne... Qui attends-tu donc dehors à cette heure-là».

— Le beau temps reviendra, dit Gentry, et il sentait comme une délivrance cette pluie soudaine qui le trempait des pieds à la tête, il tenait encore son verre de rhum à la main et ne bougeait plus, toujours absorbé par ses pensées jalouses; même Armand, ce cuisinier français exilé avait un air détendu qui ne lui plaisait pas, ne répugnait-il pas à Gentry avec sa crinière de cheval habilement coupée à la punk, pensa-t-il autour du cou, et ses boucles d'oreilles, mais non c'était un garçon touchant avec ses roses et leurs pétales ornant les gâteaux, Armand avait ses fantaisies, son bonheur, comme pour Freddy, la maman et tous les autres Gentry n'en était-il pas amèrement jaloux, car pour eux l'île était le refuge de leur liberté, «je ne vais pas perdre mon temps ici, dit le cuisinier, une amie m'attend...» «Oh, toi et tes femmes, dit Gentry, d'un ton envieux... tu peux partir... je vais tout fermer... j'aime être seul ici...» car Freddy descendait dans sa chaise roulante vers la plage et la mama venait vers lui, lui couvrant la tête de son imperméable de pêcheur, sous cette pluie dense, maintenant, il y avait entre la mama et Freddy, ce vieil hippie indigne, pensa Gentry, une complicité une entente sensuelles et les trois petits sauvages à la peau noircie par le soleil et aux cheveux d'un blond brûlé allaient bientôt grimper sur ces genoux de Freddy ces genoux ces jambes de Freddy mortes à la guerre, et Gentry pensait que toute cette pluie drue, ces vents, ces orages parviendraient peut-être à nettoyer la tache rouge, à l'horizon, ce sang de John que rien n'effaçait, et la nuit tombait, la chemise à fleurs de Gentry collait à son torse, quelle pluie souveraine, pensait-il et le vent essuyant ses larmes, pensait-il, le cuisinier partait, dans son costume froissé, il tenait à la main son paquet de gâteaux aux roses «Les femmes sont gourmandes» dit-il en riant, puis il disparut sous la pluie violente, «quelle bizarre façon de se faire couper les cheveux», pensa Gentry, qui enleva ses lunettes d'un geste rageur, il était enfin seul, il ouvrirait une autre bouteille de rhum, il n'avait plus à se cacher maintenant, il pleuvait trop, ce serait bientôt la nuit, de gros nuages noirs s'amoncelaient dans le ciel, Freddy et sa bande aimaient ces nuits d'orages sans patrouilles marines, ils sortaient leurs chaloupes, s'attendaient les uns les autres près du port, un jour comme pour John et Gentry on entendrait peut-être une voix d'homme crier dans la brume: «Nous les avons... Freddy est en prison...» cette rumeur molle des chaloupes près du quai, un climat si doux, un air si odorant, le soir, il était tard, on ne voyait plus la fine écume de sang à l'horizon, la pluie lavait tout, le temps était un pardon, ils avaient tous oublié, même Freddy le vétéran, les massacres des années de guerre et le visage des petites filles courant dans les flammes.

Mort intime*

Ses livres sont encore là, intacts, comme il les a rangés dans sa bibliothèque, les livres qu'il a lus, les livres qu'il a écrits, ses feuillets, ses notes traînent encore sur la table de travail, car n'a-t-il pas beaucoup de temps devant lui, pour terminer un roman, un essai, les tableaux, les dessins qu'il aimait, sont intacts aussi, sur le mur orange qu'il venait de peindre, l'un de ces tableaux qui évoque Gauguin, avec ses corps bruns au soleil, est l'allégorie de cette vie sensuelle, paradisiaque que l'on peut mener dans une île où il fait toujours beau et chaud, il avait posé ce tableau sur le mur orange, au-dessus de la table de travail, où il lit et écrit toute la journée, mais lorsque vient le soir et que les travaux sont terminés, on l'entend rire parmi ses amis, d'un rire grave pourtant, même lorsqu'il fume des cigarettes euphorisantes qu'il offre à chacun dans cet air nocturne et chaud qui enivre, car il y a juste un peu de vent, le soir, un souffle de fraîcheur, sur la nuque, tout n'est qu'ivresse, sur cette terrasse, dans ce jardin, et la nuit, on l'entend qui rôde paresseusement dans les rues de la ville, lui, l'intellectuel

* *L'Atelier imaginaire*, Lausanne, L'Âge d'Homme, 1989.

jadis si réservé, si discret qu'il pouvait sembler hautain, s'abandonne à la bienheureuse nonchalance de l'île, peu à peu il cède à ses voluptueuses tentations, car n'a-t-il pas beaucoup de temps devant lui, plus tard, quand il n'aura pas à enseigner à cette rigide université, là-bas, il viendra vivre ici, parmi ses livres et ses amis, et soudain, comment cela est-il venu, c'est un matin d'avril, et on a dressé un lit d'hôpital, dans sa chambre, sous les arbres géants qui couvrent de leurs branches, de leurs feuilles emmêlées, le toit de sa maison tropicale, et sous ce nid de lianes et d'étouffante verdure, il pense, couché dans le lit d'hôpital des grandes souffrances, pendant que l'air, la nourriture lui sont distillés goutte à goutte par des tubes rattachés à sa chair affaiblie, il pense, ces arbres, il aurait fallu les couper à temps, ils sont si touffus, immenses, ils empêchent la lumière d'entrer, et on peut entendre leurs rires, dans ce jardin, sur la terrasse, Vic et Frank, et maintenant, ils sont ici, dans cette chambre, ils se penchent vers lui, le lavent, le changent, le retournent dans son lit, il y a déjà plusieurs semaines qu'ils sont à son chevet, on lui offrait, au début, l'une de ces cigarettes de hasch que l'on glissait entre ses lèvres, puis il a refusé, n'avait-il discrètement annoncé pendant un repas avec eux autrefois qu'il n'aimait plus la nourriture épicée, ces parfums qui lui incendiaient la gorge, désormais, dans l'air du soir, maintenant c'était l'heure de l'indispensable morphine, n'avait-il pas fallu chasser le jeune infirmier qui volait la dose permise, aux mourants, à l'hôpital et que deviendrait ce garçon du ghetto Noir ? Ses feuillets sont épars sur la table, avec leur écriture devenue illisible, leurs lettres penchées, torturées, et maintenant il voit ces brumeuses silhouettes de Vic et Frank qui l'enveloppent de leurs bras, car il faut le changer, le laver comme un petit enfant, hier, indicible consolation, ils ont mis des jouets dans son lit, puis ils les lui ont retirés car tout objet pourrait le blesser, même un ourson en peluche, ses bras, ses jambes ne sont-ils pas couverts de marques noires, ce n'est plus comme au temps où on pouvait encore lui donner des bains pour le rafraîchir, maintenant, il faut le retourner dans son lit, il pèse à peine, il y a toujours ces lettres penchées, torturées, parmi les notes sur la table de travail, sous le tableau qui a été posé sur le mur orange peint l'an dernier, il a la force de leur dire sur le ton de la rage dépossédée, contenue, et il veut qu'on l'écoute cette fois, de leur dire oui, dans un râle, quelque incohérent soupir, quand donc tout cela finira-t-il, quand donc tout cela finira-t-il ? Car il y a une autre preuve que l'heure est arrivée, pense-t-il, c'est que l'hibiscus que Peter a apporté hier, lui dont les fleurs jaunes étaient sur le point de fleurir, ne fleurit plus, brusquement ses fleurs lustrées par la lumière ont cessé d'éclore, c'est là le signe pense-t-il confusément, le signe du départ, les arbres sont trop hauts dans le ciel, trop touffus, aucun rayon de soleil ne passe plus, c'est une lumière jaune et tiède, à cette heure du matin, qu'a-t-il dit, Frank et Vic l'ont à peine entendu, un peu d'eau, oui, depuis quelques heures l'eau ne franchissait plus ses lèvres brûlantes, ils le rehaussaient avec une infinie délicatesse, l'aidaient à appuyer sa tête contre l'oreiller, c'était en vain, l'eau fraîche ne l'apaisait plus, il répétait seulement, quand donc tout cela finira-t-il, mes amis, quand donc tout cela finira-t-il ? Dommage, lui qui aimait tant la fête, il n'est pas là ce soir, auprès de ses amis, de ses collègues, quelques lointains parents aussi, qui le célèbrent dans cette somptueuse maison historique où Frank et Vic ont organisé un banquet en son honneur lui qui aimait tant la fête est ailleurs, là où refroidissent ses cendres, dans le Golfe du Mexique, ils ont loué un bateau dit David, l'eau verte les a bercés, jamais on n'avait vu autant de cendres, dit David, et le bateau filait sur l'eau verte, les emportant tous avec celui qui ne reviendrait pas du voyage, oui, mais ce soir-là pendant le banquet l'hibiscus se mit à refleurir, bien que l'air fût glacial pour la saison chaude, l'hibiscus refleurissait déployant ses larges corolles jaunes, n'est-ce pas Peter, debout près de la plante, dans un silence recueilli, qui le remarqua le premier, l'hibiscus est en fleurs, et celui qui ne pouvait plus boire ni manger, moins encore se retourner sur le côté, comme on le lui demandait, pour mieux s'alléger de la douleur, avait vu cette plante vigoureuse, l'hibiscus que lui avait apporté Peter et il avait éprouvé à cet instant le ralentissement de son souffle dans sa poitrine, Peter et la plante étaient l'incarnation de cette beauté vivante qu'il ne pouvait plus atteindre, même en tendant la main, cette main décharnée qui s'ouvrait dans le vide, tout le temps devant lui, il viendrait plus tard se reposer, écrire dans sa maison de l'île, il écrira encore d'autres livres, sera tour à tour éditeur et poète, il découvrira des auteurs qu'il révélera à l'étranger, et soudain, c'est un matin de mars et un infirmier pousse sa chaise roulante à l'aéroport de Miami, c'est bien lui, le sportif, l'athlète qui plongeait hier dans les vagues de l'océan c'est bien lui, si faible aujourd'hui qu'il ne peut plus marcher, c'est bien lui que l'on transporte en chaise roulante d'un aéroport à l'autre, sous les regards apitoyés et craintifs d'une foule dont l'hostilité est latente, car c'est un homme contagieux qui passe, et la contagion est redoutable, c'est une contagion de la peur qui nourrit les préjugés, le racisme, la haine pense-t-il pendant que la foule s'écarte sur son passage et qu'il frissonne de froid dans la chaleur oppressante, il touche son front et sent ces rides prématurées sous ses doigts qui tremblent, le ciel est bleu et chaud, Vic et Frank l'attendent là-bas, dans une lassitude molle, il s'est laissé vêtir de son chandail de laine bleu, le matin, du pantalon en velours côtelé gris, conscient que le jeune infirmier noir lui dérobait peu à peu la morphine dont il aurait besoin plus tard, qui sait, dans quelques jours, mais dans une lassitude molle, il s'est laissé vêtir pour le voyage, que voyaient donc ces gens dans la foule, sous le chandail, le pantalon, ces blessures, ces stigmates noirs, car aucune partie de son corps n'avait été épargnée, il souffrait autant au-dedans qu'au-dehors, sa respiration était difficile et encombrée, sa peau rose s'était ternie en quelques semaines, et quand donc tout cela finirait-il, quand donc tout cela finirait-il ce feu secret, ce vent de putréfaction qui soufflait sur lui? Et dans cette maison historique de l'île, on célébrait, un verre à la main, celui qui était fort et beau, vigoureux et tendre, l'amant de la vie quand la vie n'était plus là, on célébrait celui qui ne reviendrait pas du Golfe du Mexique et dans l'avion qui le ramenait vers l'île, l'infirmier l'avait soulevé sur son siège afin qu'il pût voir l'océan, et il y eut un éclair de bonheur dans ses yeux bleus et vite l'éclair disparut, son regard se figea sur l'eau verte avec une intelligence accablée, il revit l'île perdue au milieu d'une épaisse végétation, son île, et ce soir-là Frank et Peter avouèrent l'avoir à peine reconnu lorsqu'ils le revirent, à l'aéroport avec l'infirmier qui poussait sa chaise roulante, et dans la voiture de Frank ils avaient parcouru l'île, revu ces maisons, ces jardins qu'il ne reverrait plus et il avait dit, je me sens beaucoup mieux déjà, ils avaient parcouru les sentiers, les rues de la ville odorante encerclée par l'océan, et eux se souvenaient qu'il avait alors parlé de ses yeux, oui, il avait encore de bons yeux, sa vue n'avait pas été affectée, il pourrait encore lire et travailler, et les livres, les feuillets avec son écriture illisible aux lettres penchées, torturées étaient encore là, dans sa maison sous les arbres, et il y eut un banquet en son honneur mais il n'était plus là, parmi les parents, les amis, il ne sentit pas passer sur sa nuque le vent du soir, ne vit pas le ciel étoilé, à la fin, dit David, il ne savait plus très bien, heureusement, il ne savait plus ce qui lui arrivait, comme un petit enfant que l'on change, que l'on nettoie, lui si digne ne savait plus, de cela il faut se réjouir, il s'enfonçait seul dans une obscure détresse, riant et pleurant, pourtant il dit, Mon Dieu, quand donc tout cela finira-t-il, et son regard bleu, intelligent, erra autour de lui, de son corps abandonné et meurtri, l'éclair de ce regard soudain paralysé dans la lumière de l'aube, et chacun possédait encore cette photo récente de lui où avait brillé pour la dernière fois l'éclair fulgurant des yeux bleus dans la pâleur flétrie du visage, il portait ce jour-là aussi le pantalon de velours gris côtelé, le chandail de laine bleu, et l'air de reposer nonchalamment dans une chaise de toile rouge, il se prenait la tête de sa main gauche, il était sans doute bien ce jour-là, se disaient-ils en contemplant la grâce évasive du sourire, et la tête du malade, toute frêle, inclinée vers la main gauche, cette main qui soutenait la tête frêle comme si elle eût été sur le point de tomber, oui c'était bien cela dit David, et chacun regardait avidement cette photographie qui était celle de l'adieu, y découvrant les rides précoces du front, la mélancolie du sourire, n'y avait-il pas dans son attitude ce jour-là disait David, une certaine paresse, une douce nonchalance comme au temps où il avait fumé ses enivrantes cigarettes auprès de ses amis, le soir tenez quand il flânait dans les bars, la nuit et qu'il avait rencontré Lee, Lee, le jeune Japonais dans son chandail bariolé qui avançait sur ses patins roulants vers la terrasse des bars, la nuit, il avait dans ses cheveux coupés ras un ruban lumineux vert qui étincelait comme une libellule dans la nuit, d'autres disaient, il y a de l'abandon dans son sourire, et ce geste de la main, quelle grâce aussi, quelle nonchalance extrême, il travaillait beaucoup, mais la paresse, il aimait bien ne rien faire aussi, rêver, dans le sensuel engourdissement de ces jours d'été qui semblaient sans fin... Derrière lui, sur cette photographie, il y avait ce paysage d'eau et de sables qui avait été si souvent le sien, derrière lui qui était nonchalamment assis, détendu, prêt à rire de son rire grave, dans la chaise de toile rouge, c'est dans ce jardin, reposant dans cette chaise qu'il avait reçu ses amis, des écrivains venus de tous les coins du monde et puis on avait installé le lit d'hôpital dans la chambre et il avait remarqué combien les arbres étaient hauts et touffus dans le ciel, non, l'air ne rentrait plus ni la lumière du soleil, et l'hibiscus que Peter avait déposé près de son lit, l'hibiscus aux fleurs jaunes avait brusquement interrompu sa croissance comme s'il eût été drapé dans un suaire de gel ou privé de l'éclat du soleil, accablé par ces basses, serviles souffrances qu'il avait pressenties, même ce soir-là, lorsqu'il avait dit à ses amis qu'il n'aimait plus la nourriture épicée, la légèreté de son sourire s'était évanouie, l'eau fraîche n'avait plus franchi ses lèvres brûlantes, car un feu putride lui consumait le cœur, les entrailles, et ce corps dévasté on le voyait à peine sous le frémissement des draps humides, même si Vic changeait constamment les draps, n'étaient-ils pas toujours humides, oh ! quand donc tout cela finira-t-il, quand donc tout cela finira-t-il ? Puis enfin, cette lueur d'une féroce inquiétude se fixa à l'aube dans ses yeux, l'hibiscus cessa de fleurir, enfin, tout était fini, et les bateaux continuaient de glisser sur l'eau verte, lorsque le vent était trop fort, les jeunes gens étaient rejetés par les vagues, sur leurs planches à voile, furtivement un vent froid passait sur l'eau verte et l'hibiscus, pendant deux jours, cessa de fleurir, lorsque ce vent froid venait, on le sentait qui vous transperçait comme la lame d'un couteau, c'était l'heure où mourait un homme jeune, encore débordant de vitalité, avec ses livres et ses écrits, encore intacts, dans sa bibliothèque, sur sa table de travail où s'amoncelaient aussi des factures dans leurs enveloppes scellées, on le célébrait ce soir-là, mais parmi les parents, les amis, il n'était plus là pour sentir le souffle du vent sur sa nuque et Lee n'apparaissait plus la nuit, sur ses patins roulants, avec un ruban vert lumineux dans ses cheveux coupés ras, on levait son verre, mais celui que l'on célébrait n'était plus là, lui qui avait tant aimé la fête.

Les voyageurs sacrés*

Récit

instant premier

allegro vivace : premier mouvement.

Ces mains admirables qui reposaient encore dans une élévation inachevée attendaient, comme en songe, le souple retour de l'orchestre. Elles attendaient l'harmonie. Les doigts frémissaient à peine au-dessus du piano: peut-être glissaient-ils déjà sur des vagues sensibles, suspendus au silence des fleuves obscurs?

Ainsi pensait Miguel, assis auprès de sa femme Montserrat, dans cette salle de concerts de Paris. Il n'était qu'un témoin de la musique parmi les autres, un voyageur du réel qui se reposait doucement pendant cet instant du dimanche, 3 mai. Miguel aimait ce concerto de Mozart.

Il était quatre heures. Miguel entrait lui-même dans ce déclin du jour, sombre comme ce soleil qui enténébrait les longues pierres des voûtes, à ce moment-là, dans toutes les cathédrales de France. Cathé-

---

* *Les Voyageurs sacrés*, Montréal, HMH, 1969.

drales nocturnes qu'il avait contemplées, auprès de Montserrat, le mardi et le mercredi.

« Cette semaine est bien lente » avait dit Montserrat, en marchant sous les portails de flammes et de cendres. « Je suis lasse. » Sa respiration trop lente avait inquiété Miguel : il en avait souffert comme en ce matin où elle lui avait souri avec impatience, au seuil des escaliers d'une maison d'Espagne. Ce sourire en pleine ombre, figé, aigri. Parfois, Montserrat avait cet âge indéfinissable qui la marquait brutalement, alors elle respirait vite croyant dissiper aussitôt un flot de colère ou d'ennui. Miguel craignait les passions mortelles : Montserrat savait les trahir d'une seule respiration.

— C'est dimanche, Miguel, mon amour.

Non, elle ne disait rien. Elle écoutait. Elle regardait les mains du jeune pianiste qui erraient très loin dans des cercles limpides qu'elle seule voyait. Elle avait sculpté ce visage, elle avait sculpté ces mains, dans le marbre, dans la pierre, dans le bois... Jeudi, Vendredi ou Samedi ? Elle ferma les yeux.

Miguel sentit tendrement qu'elle avait fermé les yeux, afin de ne plus exister que par elle-même, soumise au soir violent de son être. Ainsi, Montserrat commença à se souvenir avec plus de sagesse.

Montserrat. Montserrat.

Il disait simplement son nom pour savoir dans quelle profondeur elle vivait, soudain, ah ! Saisir cet amour qui s'enfuyait.

Miguel. Miguel.

— Éloignez-vous de moi, Johann.

Elle avait sculpté ce visage dans le bois, oui, mercredi, jeudi et vendredi. Elle avait voilé ces traits incertains mais splendides, le regard, surtout, l'avait pénétré d'une grâce fugitive et douloureuse.

— Éloignez-vous de moi, Johann.

— Johann doit rentrer en Italie, dimanche pour le Festival de Venise. On l'attend là-bas. Irez-vous aussi Montserrat ?

— Je resterai à Paris avec Miguel.

Des voix connues et inconnues s'éveillaient dans sa conscience.

« Cette nuit, je dormirai mieux, pensa Montserrat, (*elle ne songeait plus aux mains de Johann qui ne jouaient que pour elle*) oui — quel sommeil, n'est-ce pas Miguel ? Comme ce sommeil si lourd en Espagne qui nous laissait nus et désertés sur une grève merveilleusement pâle. »

Johann connaissait l'heure de gloire, en ce dimanche : Miguel avait été rejeté par cette même gloire, dimanche dernier, à la même heure. Un bonheur profond les séparerait toujours l'un de l'autre. « Pourquoi est-ce vous Johann, plutôt que moi ? Pourquoi êtes-vous l'élu ? » « Cette nuit, je dormirai enfin », pensa Montserrat.

Elle se souvenait parfaitement de l'échec qui avait déchiré son mari, dimanche, au théâtre, lors de la première de sa pièce. « Peut-être, est-ce à cet instant-là que Miguel perdit la foi plutôt que lundi, dans la cathédrale de Chartres ? »

Elle ouvrit les yeux.

Johann attendait l'orchestre, tête penchée au-dessus de ses mains vastes et inanimées.

C'est ainsi qu'elle avait rapidement dessiné son visage sur un vieux cartable, avant d'oser incliner ce front dans les formes du bois, dimanche, oui, dimanche, le jour de l'échec de Miguel, déjà ?

— Montserrat. Montserrat. Dit Miguel sans la regarder, pendant le premier mouvement...

Dimanche...

dimanche

Dans quel but ce jeune poète écrivit-il cette histoire d'anges incompris? Pourquoi, ce Jugement Dernier? Nul ne le sait. Que se passe-t-il dans l'esprit de ce metteur en scène maladroit et émouvant qui croit faire jaillir des vies d'hommes, quand ses personnages se dérobent de lui soudain et se métamorphosent en agiles fantômes ironiques? Comment créa-t-il cette lente peine qui vient du fond des temps, comment trouva-t-il l'impudeur de l'animer hors de lui? Miguel, dites-moi, je voudrais tant savoir.

Ainsi pensait Johann assis auprès de son amante Montserrat, dans ce théâtre de Paris. Il aimait cette pièce. Il ne pouvait se défendre de l'aimer passionnément. Mais le public ne désirait pas connaître ce nouveau tourment... l'âme de Miguel, Miguel, l'homme jadis ignoré. La foule était lasse, elle n'acceptait plus de souffrir ni de se révolter. Que lui importait d'être juge de celui qui se perd et de celui qui se sauve? Il y avait longtemps que Dieu n'existait plus pour ces esprits. Et seul, un jeune homme nommé Miguel continuait de lutter avec des ombres, se glissait dans la nuit des comédiens — derrière les coulisses sourdes, esclave et maître d'une inspiration absolue qu'il regardait s'étendre autour de lui, comme la plainte d'une bête ingénue — reconnaissant sans cesse le cri de son propre cœur délivré, dans chaque réplique, dans chaque souffle, sous le tombeau de chaque silence, sur le masque universel de ses personnages.

Et pourtant, Miguel ne l'ignorait pas — cette tragédie n'était qu'une erreur. Il assistait à la réalisation d'une erreur. Maintenant il aurait le courage d'attendre le généreux échec de ce poème long et court comme la vie. Il ne craignait plus rien.

Il était quatre heures. Johann entrait dans le déclin du jour, sombre comme ce corps qu'il avait enlacé pendant la nuit et dont la fougueuse lueur vivait encore en lui. «Cette semaine est trop brève» avait dit Montserrat en lui caressant les cheveux.

— N'aimez-vous pas votre mari?

— Je l'aime. Je l'aime avec violence. Mais éloignez-vous de moi. Malheur à moi, ton visage me poursuit depuis ma naissance, je ne te résisterai pas.

— Je ne savais pas tant de choses, dit l'homme.

— Tu étais un très jeune homme, tu n'avais pas seize ans. Je t'ai vu jouer un concerto de Mozart à Vienne. Je me suis éprise de toi pour l'éternité.

Cette année-là, *(c'était juste après une guerre et je voulais faire abstraction du temps)* j'ai joué le même concerto en Autriche. Et j'ai rencontré des jeunes musiciens qui venaient de tous les pays du monde, des chefs d'orchestre, des compositeurs. Parmi eux, j'ai rencontré une jeune fille qui est devenue ma femme.

— Pourquoi n'est-elle pas venue avec vous à Paris?

— Elle attend un deuxième enfant.

— Ne parlons pas davantage, dit la femme.

On était encore au premier acte. Miguel avait soif de silence. Quand atteindrait-il la fin?

Montserrat. Johann. Les deux êtres qu'il aimait le plus sur terre. Il les voyait. Ils étaient nés pour être là, aujourd'hui, innocemment contemplés par l'âme bannie de Miguel: âpres, triomphants, meurtris. Johann. Montserrat. Ils commençaient à vivre au moment où Miguel agonisait. Pourquoi lui avait-elle présenté Johann, samedi, pourquoi avait-elle invité Johann à boire du champagne avec eux, samedi, et pourquoi, ce samedi?

— Chéri, il y a longtemps, que je veux te faire connaître un homme que tu aimeras beaucoup. Il n'est pas bon que tu sois seul.

— Je ne suis pas seul. Je vis avec toi.

Il l'avait vu, samedi, pour la première fois, alors que Montserrat parlait de sculpter sa tête. Johann Van Smeeden. Miguel méprisait sa mémoire trop vivante. Tout se déroulait encore sur la scène flamboyante. Montserrat portait la coupe à ses lèvres, d'un geste alangui qui enveloppait la silhouette de Johann; cette étreinte invisible n'était aperçue que de Miguel, lié à tout ce qui se passait ailleurs. Montserrat renversait la gorge et buvait doucement en montrant les dents. L'amante nouvelle était cette femme ruisselante de joie qui prenait source dans un corps nouveau.

— Je suis désolée. Johann. Vous ne devriez pas partir dimanche. Mais le repos vous attend peut-être à Venise?

— Plus que le repos, Madame.

— Ne le dites pas. Je ne veux pas savoir.

— Beaucoup d'amis m'attendront. Pourquoi ne seriez-vous pas parmi ceux-là?

— Cela est impossible. Miguel veut rentrer en Espagne, dimanche. Nous n'avons pas revu l'Espagne, depuis, dis Miguel, depuis quand?

— Il y a très longtemps, dit Miguel.

— Non, nous ne vous laisserons pas partir.

Elle rit d'ennui. Miguel la voyait rire, la main droite appuyée contre les lèvres. Non. Elle étouffait une parole surprise, une parole interdite. Montserrat ne riait jamais d'ennui. Miguel se voyait agir, debout auprès de Montserrat.

— Vous avez soif Montserrat?

— Légèrement Miguel.

Il se voit remplir la coupe, il l'offre à la main gantée de Montserrat. Elle porte une robe de velours dont les plis se perdent à l'angle des genoux. Ses jambes lisses ont la couleur des fruits.

— Miguel ne boit jamais. Miguel travaille beaucoup. Je dois toujours lui rappeler que Minuit a sonné. Si Miguel le veut bien, nous retournerons en Espagne.

L'étreinte invisible fut interrompue par un regard de Johann.

— Non, éloignez-vous de moi.

— Vous savez bien que je dois rentrer, et dès dimanche.

Alors les amants immobiles s'étaient séparés. Johann parla du printemps de Paris, de l'étrange fraîcheur des jeunes filles de Paris.

— Il y a un espoir souverain dans les yeux des jeunes filles, dit Johann.

— De quel espoir parlez-vous?

— Vous ne pourrez jamais découvrir cela, dit Johann, assombri.

— Pourtant mon mari sait beaucoup de choses et il me les apprend à mesure qu'il les voit, dit Montserrat.

— Je suis malheureux devant vous, dit Johann, vous me voyez impuissant à vous comprendre.

Montserrat pencha la tête et sourit:

— Mais nous ne sommes pas dans la détresse.

Sa main tremblait. Elle oubliait de boire le champagne. Ses genoux tressaillaient imperceptiblement. Miguel lui caressa l'épaule avec compassion.

— Ce n'est rien, dit-il, à voix basse, ne vous laissez pas troubler.

Elle se ranima, se tint droite au centre de son équilibre vacillant :

— Ce jeune homme veut nous émouvoir.

— Tu as raison, Montserrat.

— Nous n'avons jamais été tristes, reprit Montserrat, comme pour consoler un enfant *(et cet enfant était le pauvre être intérieur qui ne viendrait jamais au monde)* n'est-ce pas Miguel ?

— Jamais, dit Miguel.

À cet instant, Miguel avait employé la ruse de l'étonnement afin de changer la conversation :

— Comment faites-vous pour jouer un concerto ? demanda Miguel, cela demeure un mystère pour moi...

— Ne mens pas, dit Montserrat, *(sa voix ne tremblait plus, sa voix était plus sereine).* Nous sommes des gens trop passionnés, lui et moi. Miguel ne veut pas apprendre à se maîtriser. Miguel a mis en marche cette étonnante machine qu'est une mise en scène. J'ai vu cela de très près, à la générale. J'ai été stupéfaite. Il est extraordinaire mais il ne sait rien. Il est fantastique parfois, dit Montserrat, (*lentement, lentement, elle ne parlait plus que pour Johann : Miguel s'était retiré un instant pour fermer les volets*), il ne sait rien parce qu'il se laisse broyer par tout ce qui l'émeut. Je le connais mal. Ne m'écoutez pas de cette façon, Johann. Vous pourrez mieux découvrir mon mari par vous-même. Mais vous verrez, comme ces châteaux de vagues qu'il construisait à mes côtés en Espagne, tout ce qu'il construit, tout ce qu'il écrit est menacé de s'écrouler comme un palais de sable.

— Je le plains de tout mon être, dit Johann.

— Il voudrait savoir vous plaindre aussi, dit Montserrat.

Elle prit la main de Johann, elle parla à voix basse, elle murmura :

— Ah ! vous vous réjouissez bien d'être immortel !

— Non, comprenez-moi...

Miguel marchait vers eux. Ils se turent. Miguel vint s'asseoir aux côtés de Montserrat.

— J'ai senti une chaleur subite, dit-il.

— Il faut s'habituer à ces flammes qui montent de soi, à chaque instant, dit Montserrat.

Elle se tut.

Ce silence pesa à Miguel qui n'arrivait pas à clore le premier acte de sa tragédie. Un homme qui était lui-même monologua debout devant le public.

Johann et Montserrat semblaient écouter à demi. Ils ne formaient qu'un seul visage saisissant.

— Oui, samedi, je vous vis pour la première fois, Johann. Je ne puis dire ce que je ressentis alors. Ma femme vous aimait. Vous l'aviez prise pendant la nuit. Mais vous étiez là, devant moi, sans colère et sans haine, comme moi-même devant vous. Montserrat rayonnait de votre innocence. Vous étiez conscient de ne rien me voiler de votre amour pour Montserrat et je ne vous voilais rien de mon amour pour elle. Nous étions des adversaires égaux. Pourquoi m'avez-vous déchiré, à cet instant-là, quand je vous vis pour la première fois.

— Éloignez-le de moi.

Montserrat taillait votre visage dans le bois. Vous étiez là, un peu éloigné de toute chose et surtout de vous-même, désintéressé de ces mouvements qui faisaient de vous un modèle ou plutôt une victime — je ne sais plus: les mouvements de Montserrat qui vous retenaient déjà... Vous étiez captif d'un crépuscule inconnu. Montserrat devait vous aimer pour désirer ainsi s'emprisonner elle-même dans ce modèle périssable. Mais étiez-vous périssable? L'êtes-vous? J'ai senti peser sur votre tête, le chaste fardeau de l'immortalité.

Je fus alors attiré par vous, comme la foudre l'est par le silence, comme la nuit ne résistant plus au jour qui est sa fin et son but, non comme une femme est attirée par un amant, mais davantage, plus haut que la mort, tel le néant aspiré par la force de l'Ange. Vous étiez l'Ange de lumière, l'Ange tentateur qui venait me sauver ou me perdre, vous étiez l'Ange.

Inlassables et muettes, les mains de ma femme domptaient admirablement vos traits, mais atteignaient-elles cette lumière, cette transparence sauvage? Montserrat composait votre visage au prix de ses propres ténèbres. «Je n'ai jamais vu quelqu'un d'aussi immobile que vous, Johann» disait-elle en souriant. Je mesurais ses abîmes par cette respiration toute proche du regret, du remords, de la plus ardente inquiétude. Comment ignorer cette façon de se pencher sur soi avec désespoir?

— Vous ne souriez donc jamais Johann?

— Un jour, il sera possible de sourire sans rien détruire autour de soi, le croyez-vous aussi?

— Non, dit Montserrat.

Elle se raidissait devant la sculpture. Devant l'homme, elle était prête à fléchir.

— Parlez-nous, parlez-moi, dis-je...

Non, je n'oserais pas vous le demander.

Nous avions été chassés du paradis.

— Étrange, disait Montserrat, Miguel croit beaucoup en Dieu, mais croira-t-il encore demain et plus tard ?

Vous étiez indifférent. Cette indifférence existe peut-être au plus profond d'une sorte d'amour inaccessible. Votre présence aiguë et terriblement douce évoquait pour moi un monde sans nom, un espoir dont j'avais perdu le sens. Cet Ange de Lumière est bien coupable qui vous ouvre soudain les Océans du Surnaturel. Cet Ange était inhumain.

— Taisez-vous, Johann, disait Montserrat, non taisez-vous, allons ! Je veux être en paix avec mon travail. Nul jeune homme ne me donna autant de mal que vous. Et pourtant j'ai été touchée par beaucoup de visages avant vous. Vous êtes bien un homme comme les autres. Mais la vie a quelque chose d'étrange à certains jours. Tout se transforme. Le pensez-vous aussi ?

— Oui, dit Johann, sans baisser les yeux. Pour ma part, j'ai une vie très simple, normalement à Vienne auprès de ma femme et de notre enfant, et trop loin de la musique pour être digne d'être son interprète intime. Je ne connais pas de vie aussi étroite que la mienne — dit-il encore.

Une heure plus tard, comme Montserrat semblait fatiguée et cherchait la solitude (*je sais toujours à quel moment cette solitude lui devient indispensable et urgente*) je vous ai demandé de me suivre à l'Atelier afin de vous faire connaître ses œuvres.

« La Tentation. » Telle était la première œuvre que nous avons vue ensemble. Cette sculpture me parut incarner la présence de Johann, foudroyante révélation au seuil de nos existences.

— «La Tentation» dit Johann. Pourquoi ce jeune homme se laisse-t-il enivrer par les Ombres?

C'est bien vers l'Ombre qu'il tend les bras?

— Non, dis-je, il est entouré de lumière.

— Ce visage effrayé ne sait pas où il va, dit Johann.

— Le regard est pur, le regard sait déjà tout de l'avenir, dis-je.

— Qui est cet adolescent diabolique?

— Diabolique? Ce n'est pas un adolescent, ce n'est pas un homme, c'est bien autre chose. Comment cette race d'êtres serait-elle diabolique?

Et Satan existe-t-il?

— Je crois, dit Johann, que votre femme ne put se défendre, dans cette œuvre — de faire naître le diable.

«Les Fantômes.»

— Des âmes, dit Johann, encore des âmes. Une âme peut-être aussi un corps. Voilà des corps qui avancent dans l'obscurité, sages âmes sans espoir, dit Johann. Des corps innombrables.

— Oui, innombrables. Montserrat dit les avoir vus marcher dans la nuit. Je n'étais pas avec elle. Je n'ai rien su de tout cela.

— Pourquoi y a-t-il, parmi ces âmes, des corps si jeunes? Celui-ci est un enfant.

— Je n'avais jamais remarqué, auparavant — dis-je.

«La Jeune Fille du Sommeil.»

Ce n'était qu'un buste de fillette. Montserrat, enfant — peut-être.

— Est-elle morte? demanda Johann.

— Nous n'en savons rien, dis-je.

— Elle dort dans la courbe du songe, dit Johann. J'aime ce cou droit qui éclaire...

— Et les yeux?

— Ne parlons pas des yeux, dit Johann.

Alors Montserrat entra dans la pièce. Elle vint à moi et prit mon bras.

— Pourquoi m'avez-vous laissée seule? Je me suis endormie.

— Vous avez bu trop de champagne.

— J'ai l'impression de sortir de la mort, dit Montserrat. C'est rassurant.

Elle baissa les yeux. Elle s'arrêta devant le Buste de la fillette.

— Assez, Johann, ne cherchez pas à comprendre, ayez pitié de moi.

Et s'adressant à moi:

— Pourquoi as-tu fait cela Miguel? Tu sais que je n'aime pas montrer ce que je fais?

— Tout cela est d'une émouvante richesse, dit Johann.

— Ce n'est que la vie, dit Montserrat. Et la mienne a peu de poids. Venez dit-elle, venez, mes amis.

Cette fois, elle s'empara du bras de Johann et du mien. Elle marcha entre nous deux, légère et suspendue à notre pas.

Montserrat et Johann écoutaient toujours. C'était la fin du premier acte. Et Miguel se tut.

intermède

— Il vaudrait mieux parler à Miguel, le rassurer — il souffre lui qui se cache.

— Non, n'y allez pas, dit Johann. Vous avez pleuré. Il le verra. Attendons. Le deuxième acte viendra. Qui sait? Miguel aura peut-être la paix?

— Étrange, dit Montserrat — les gens ne se lèvent pas.

— Sortons un instant — dit Johann. La nuit de Paris est claire, je veux voir cette nuit avec vous.

Johann entoura Montserrat, de son épaule. Long et mince, le corps de Johann semblait soulever Montserrat en marchant. Elle était à la dérive comme une feuille morte, elle qui, hier, emportait tout dans sa course.

— Il pleut, dit Montserrat, cela me fera tant de bien. Il a plu quarante jours et quarante nuits sur Paris. Mais en Miguel et en moi, ce feu n'a pas cessé un seul instant. Cet étouffement sans limites — ajouta-t-elle en penchant le front.

— Le Buste de la Fillette, dit Johann. Je le revois. L'Enfant n'est pas morte...

Ils avaient commencé une étreinte quelque temps plus tôt: ils l'achevèrent silencieusement dans la tempête du printemps. Johann embrassa Montserrat et la tint enlacée contre le mur.

— Que voulez-vous faire de moi? demanda-t-elle (*le tourment passait comme un coursier dans ses yeux graves*) oui, éloignez-vous, éloignez-vous de moi.

— Venez avec moi jusqu'à Notre-Dame.

— Non, dit Montserrat. Il faut rentrer au théâtre. Miguel nous attend. Il est seul.

Il lui offrit l'espace qui suit l'étreinte aveugle.

— Non, ne me laisse pas, dit-elle.

Il la pressa contre lui, à nouveau.

— J'ignore ce qu'il y a dans ton cœur. C'est mon plus grand mal.

La pluie coulait sur les paupières de Johann. Elle glissait jusqu'à sa bouche abandonnée.

— Homme de bronze, dit Montserrat en riant — c'est absurde, je t'aime, homme au corps de soleil.

La pluie scintillait sur les joues de Montserrat comme l'eau qui allume les cendres. La beauté de ces cendres ranimées avait la netteté de certains objets sombres que l'on précipite soudain dans un jour abondant.

— Il y aura encore beaucoup de déluges, dit Johann, mais tu ne périras pas.

— Je sais, dit Montserrat. Je suis heureuse que Miguel existe aussi.

Ils retournaient maintenant au théâtre. L'oasis avait assoupli le rire de Montserrat.

— Vous riez si bien et si mal, dit Johann.

— Vous étiez tellement avec moi sur les quais que j'ai oublié de regarder la Seine.

— Vous avez aussi oublié de regarder courir les gens qui cherchaient refuge de la pluie, la foule de Paris, les femmes, les enfants.

— Pardonnez-moi, dit-elle. Je n'ai vu que vous. Je n'ai entendu que vous. Et j'ai un peu oublié Miguel qui attendait, au théâtre.

— Ils se sont jetés dans la Seine, dit Johann.

— Qui donc ? demanda la femme.

— Que dites-vous ? je ne vous entends pas.

— Oui, il y a toujours eu des épaves dans la Seine, dit Montserrat.

— Marchons plus vite, dit Johann.

— Mais je cours, dit Montserrat.

— Il faut arriver à temps.

— J'ai tant couru, dit Montserrat.

— Il faut arriver à temps. Mais il est trop tard, dit Johann. Venez.

La taille de Montserrat ployait sous sa main comme un animal qui se rend à la caresse du meurtrier :

— Non, ne croyez pas que je sois votre ennemi !

— Le diable a donc le malheur d'exister lui aussi ? s'écria Montserrat.

(*Mais elle le savait, elle reniait tout ce qu'elle avait vécu jusqu'ici pour cette main qui retenait sa taille au-dessus du vide ; épouvantée, elle goûtait à cette caresse déchirante : et le coursier s'élançait toujours dans son regard paisible.*)

Mais ce n'est pas lui qui veut séduire — c'est moi. Oui, moi. Je vous ai demandé de devenir mon amant. Je n'avais jamais trompé mon mari, auparavant. Cela n'a rien changé à l'amour que j'ai pour lui. Démon, dit-elle, (*si bas que Johann n'entendait plus que les sanglots d'une voix*) non seulement ce démon de l'Infidélité mais cet autre aussi qui voudrait vous faire croire que Dieu est son créateur, qu'il est Fils de Dieu plus que je ne suis Fille de la terre et femme de Miguel. Chéri, ne sois qu'un homme, je t'en supplie : encore quelques nuits avec moi et tu prendras chair comme chaque chose vivante qui a sa place dans le monde.

— Silence, dit Johann, le théâtre est illuminé. Suivez-moi.

— La première fois que je vous vis, à Vienne, je compris enfin qui vous étiez. Ce jeune pianiste au regard fauve et candide...

— Voici le deuxième acte, dit Johann.

Pendant qu'ils se souvenaient (*cela durait déjà depuis peu de temps mais la terre avait beaucoup vieilli et les hommes avaient continué de mourir à chaque seconde, fidèlement, afin que les pensées de Miguel et de Montserrat, triomphent, en ce dimanche de mai, donnant le mouvement aux planètes, avant le repos du septième jour de la Création qui approchait.*) Fidèlement aussi, les mains de Johann donnaient la vie. On en était au deuxième mouvement du concerto. Andantino.

Quand elle le vit entrer dans la chambre brune (*elle avait allumé quelques lampes mais elles s'éteignaient peu à peu, jaunes ou roses, puis brunes comme les cheveux de Montserrat, elle ne savait plus comment fixer l'extase de la couleur ; le soir odorant de Paris, tel un oiseau humide qui monte de chaque rue après l'orage, entrait par les persiennes battantes*) — elle sentit avec ivresse qu'il pénétrait sa chambre comme un vent heureux qui bouleverse une saison inféconde — tragique comme le vent, oui, et désordonné comme lui seul, il venait à elle.

— Montserrat? Montserrat? Pourquoi vous? Pourquoi toi?

— Je le saurai peut-être si tu me le dis.

Elle ne se releva point. Allongée sur le lit, les bras en croix et les pieds liés par la nuit, elle attendit ce visage, ces yeux. Et lentement, il s'agenouilla au-dessus d'elle et attendit à son tour.

— Où suis-je? demanda-t-elle.

— Il pleut si violemment sur Paris, dit Johann. M'entendez-vous?

— Non, dit Montserrat.

— Nous avons eu ce même déluge à Vienne, il y a un mois.

Elle renversa la tête.

— Ne portes-tu pas des robes blanches parfois?

— Quand j'étais enfant, on me donnait des souliers blancs. Miguel courait avec moi dans le sable et dans la neige. Un jour, il mit une épine à mon doigt. Le sang coula dans ma main ouverte. Alors je suis devenue sa fiancée. Nous nous sommes fiancés souvent, dans les ronces, en été, en hiver, surtout en été. Je le fiancerai encore. Je l'aime.

— Oui, dit Johann, vous l'aimez.

— Cela a toujours été inévitable.

— Sous votre robe verte, sous votre robe bleue ou verte (*Montserrat riait tendrement, il se trompait toujours, penché sur ce corps qui lui était accordé plus que jamais bien qu'il ne l'eût pas encore pris*).

— Ma robe est rouge, dit Montserrat.

— Sous votre robe rouge, de quelle couleur est votre corps, cette nuit?

Il la dévêtit. Il ramena ses bras le long de ses hanches.

— Ne tends pas les bras à l'infini, ne fais qu'une seule ligne avec ton âme comme ces âmes que j'ai vues.

— Elles avançaient dans la nuit, innombrables, plus innombrables que les étoiles, dit Montserrat. Ce poème est de mon mari.

Elle soupira:

— Comme je suis nue, dit-elle. Est-ce que je viens de naître? Est-ce que tu es juge de moi?

— Nous sommes ensemble, dit Johann. Et tu es noire et belle. Ton corps est révolté. («*Oui, il est révolté contre chaque chose qui meurt» pensait Montserrat.*)

La nuit devint complète et Montserrat se laissa délier pieds et mains.

Elle venait de se vêtir et demeurait allongée auprès de Johann: dormeur qu'elle chérissait plus que le sommeil, tant elle avait souhaité connaître cet homme et ce sommeil qui l'humanisait encore irrésistiblement.

«J'ai toujours su que tu n'étais qu'un homme. Je suis satisfaite de savoir qu'il y a en toi, cet homme. Miguel peut croire en Dieu et en ton existence, Johann, moi je suis sauvée de Dieu et de toi. Je chercherai encore qui tu es afin d'être avec toi la plus humaine des proies. Je ne trompe pas Miguel avec Satan. Je le trompe avec un homme. Et tu n'es peut-être que Johann Van Smeeden, musicien rencontré à Vienne et venu à Paris pour jouer un concerto de Mozart. Qui que tu sois tu me tentes et tu me poursuis depuis ma naissance.»

Johann prit la main de Montserrat:

— Qui a fait cela? dit-il. Qui fait saigner ton doigt? Quelle épine et pour quel fiancé encore enfant?

— Dors encore un peu de temps, dit Montserrat, je pensais, je pense, et je mordais mon doigt sans le savoir, c'est la pointe de ma dent qui a blessé mon doigt. Alors, tu peux dormir, Johann. Je pense à Tout.

Montserrat entra dans la chambre de Miguel et dit:

— C'est l'aube, Miguel, il faut veiller jusqu'à la générale. Je t'avais promis de venir. Je viens. Pourquoi es-tu troublé?

— Il y a un ange dans la maison, dit Miguel.

— Est-ce bien un ange? dit Montserrat.

Elle redressa la tête de son mari.

— Chéri, nous sommes jeunes encore, et peut-être d'autres jours nous attendent-ils, meilleurs et plus doux, comme notre enfance en Espagne. Veille, veille, personne ne sait ce qui viendra.

— Est-ce qu'il pleut encore?

— Je ne porte pas de robe bleue quand il pleut, tu le sais bien.

— Ta robe est verte, dit Miguel en riant, tu te trompes toujours.

— Oui, il pleut, Miguel.

Elle se hâte de l'oublier.

— Comme tu es obscur, comme tu me plais! Oui, nous irons où tu voudras.

Mais comment retournerions-nous en Espagne? (*Elle avait parlé des souliers perdus à Johann, elle se souvenait de cela subitement.*) Allons à Rome, mon amour. Ou en Grèce, comme autrefois. Ah! Pourquoi écris-tu toujours ces grandes douleurs?

Ce n'était donc que cela, la fin de la tragédie? Le public ne se levait pas. Ironiques et dépourvus d'étonnement, les hommes étaient assis dans la pénombre: ces monotones ennemis n'attendaient plus rien de la colère ou de la haine.

Le rideau tomba. Miguel entendit un cri au fond de lui-même. Il sombra.

Il n'y avait pas eu de résurrection. Il s'était trompé. Après la tragédie et son patient déroulement de scènes et de paroles, il ne restait que ce pauvre cri que lui seul connaissait puisqu'il l'avait entendu, le jour de sa naissance.

— Levez-vous, Montserrat. Allez vers lui. Lève-toi, Montserrat. Il a besoin de toi. Cours le rejoindre.

— C'est insensé, dit Montserrat. Je ne veux pas. Crois-tu que je pourrai savoir qu'il souffre? J'aime Miguel.

— Il faut rester avec lui, en cet instant, supplia Johann.

Mais Montserrat se blottit au creux de sa chaise et ne se leva point.

lundi

Dans le train qui les conduisait à Chartres, Miguel et Montserrat fuyaient les dévorantes pluies de Paris. Parfois, le visage de Miguel, brusquement plongé dans l'aube, buvait à un espace doré qui attristait, son front. Inondé d'une brève paix, il s'isolait de la main de Montserrat qui cherchait son poignet.

— De quoi te plains-tu Miguel? Nous sommes ensemble. Nous verrons le paradis. Nous le quitterons. On nous promettait beaucoup de choses autrefois en Espagne, avant l'âge de raison, l'âge des choses, autrefois. L'âge de la première douleur qui se voit elle-même. Pourquoi ai-je oublié tout ce qu'on nous avait promis en naissant? Je voulais être de la terre, de la vie, simplement. Et de quoi peux-tu te plaindre

Miguel? (*sa voix se faisait pressante et chaude comme une voix amoureuse*). Nous avons fait le tour du monde, ensemble, nous avons cherché ce que nous ne trouverons jamais. Je pourrais être seule, et toi aussi. Mais tu es là et je suis avec toi. La ville de Paris était belle pour nous, à vingt ans. Parce que nous nous aimions. Pourquoi es-tu si ingrat envers nous? Oui, envers nous?

Miguel sourit à Montserrat et dit, comme en songe:

— Quand j'étais à Rome et que tu n'étais pas là quelle souffrance, tu ne sauras jamais à quel moment j'ai pensé à toi, dans quelle rue de Rome, dans quel jardin, auprès de quelle fontaine? Ce soleil que j'ai vu pour toi, tu ne le verras jamais à nouveau, avec moi.

— Ah! Tu crois donc que j'ignorais tout cela? dit Montserrat.

— Oui, tu l'ignores. L'amour ignore tout, dit Miguel.

— Tous ces gens viennent-ils avec nous à Chartres? demanda Miguel.

Montserrat répondit distraitement:

— Miguel, je n'ai jamais connu quelqu'un d'aussi aveugle que toi!

— Je crois vous connaître, dit la jeune fille — ne vous ai-je pas rencontré tous les deux à Vienne, en octobre?

— Peut-être, dit Montserrat.

— Quel est votre nom? demanda Miguel.

— Vinca, dit la jeune fille, Vinca Van Smeeden. Mon fiancé reviendra dans quelques instants, je vous le présenterai. Mais vous le connaissez déjà. Mon fiancé est allé dans les autres compartiments parler aux enfants. Nous donnons un concert ce soir, à Chartres. Ces jeunes gens si bruyants, autour de nous (*Montserrat frémit, elle n'avait encore rien entendu*) sont les membres de l'orchestre. Mon mari a choisi ces musiciens dans tous les coins du monde. Ils sont encore trop jeunes pour être de parfaits musiciens. Mais mon fiancé qui dirige l'orchestre — a bien confiance en eux.

— Montserrat avait déjà subi ces paroles auparavant — elle ne savait à quel moment, en quel jour, mais elle avait la certitude de la prescience.

— Et vous? demanda Miguel.

— Je suis pianiste, dit la jeune fille. Je jouerai ce soir le concerto de Mozart...

Elle croisa ses mains sur ses genoux.

— Vous semblez très calme, dit Montserrat. Je suis sûre que tout ira bien pour vous, ce soir.

— L'orchestre a été bien accueilli à Rome, dit la jeune fille. Et en Grèce, pendant ce dernier été. Nous irons bientôt à Venise.

— À Venise, dit Miguel. On nous parle souvent de cette ville mais nous n'avons pas l'intention d'y aller, ma femme et moi.

— Jean, te souviens-tu de nos amis de Vienne?

— Je vis Madame pour la première fois, en Autriche, dit le jeune homme.

Il était immobile devant sa fiancée et la regardait à la dérobée pendant que Miguel luttait contre ses pensées.

— Allons, Miguel, dit Montserrat, allons ! Pourquoi ne se ressembleraient-ils pas ? Ils sont plusieurs sur la terre. Une race, Miguel, une race trop flamboyante !

Le jeune homme vint s'asseoir auprès de la jeune fille. Dans les couloirs étroits du train, les jeunes gens s'accoudaient aux fenêtres ouvertes. Ils avaient la légèreté des colombes qui se posent au-dessus d'un paysage marin.

Montserrat rejoignait la douleur de Miguel : « Il dit qu'il ne croit pas en Dieu, il dit qu'il ne croit plus, mais il découvrit peut-être un autre dieu... le dernier dieu qui n'existe qu'un seul instant, au moment de la mort, celui de l'imagination. Courage, Miguel. »

La cathédrale de Chartres se dessinait dans le brouillard :

— Jean, que de soleil sur la pierre ! Jean.

— Parlez-moi de ce soleil, dit Miguel.

Mais le jeune homme ne répondit pas. Les enfants riaient et leurs rires venaient jusqu'à l'oreille indifférente de Montserrat.

Chartres

Cet Andantino, pensait Miguel... « Johann joue le monde et le temps et l'infini surgit de ces gouffres harmonieux, l'infini n'est que la joie délivrée enfin. Johann connaît le secret de l'aventure humaine, enfin ! Il sait tout ce que j'ignore et ignorerai toujours. »

Montserrat. Montserrat.

Tel qu'il est à ses côtés, elle sait qu'il la cherche au cœur du monde.

Montserrat. Montserrat.

Nous avons vu le siècle inscrit sur chaque pierre, chaque porte, chaque clocher,

Il entra dans la nef par l'une de ces portes éternelles,

Et soudain, il disparut.

Comment cela se fit-il? Nous n'en avons rien su.

Miguel. Miguel.

Une femme se tenait au seuil de la plus haute porte.

Elle enfantait sans jamais être mère, humble forme blessée de l'Innocence,

(*Une main inconnue avait tiré son cœur de l'écorce des arbres de France, le Soleil couchant l'avait incendiée souvent mais ce cœur, ce cœur battait encore, vulnérable et doux.*)

Notre-Dame-Sous-Terre,

Je la perdis à Notre-Dame-Sous-Terre

Dans une chapelle obscure où le brouillard me poursuivait Miguel. Miguel.

— Elle tient son enfant sur ses genoux, la Vierge devant enfanter. Aimerais-tu avoir un enfant Montserrat?

— Non.

— Et pourquoi Montserrat?

— Sans le vouloir, mon corps sera toujours intact.

— Et chaste?

— Oui.

Je marche dans le brouillard, que veux-tu?

Que veux-tu Miguel?

J'ai soif au Puits des Saints-Forts,

Il eut soif

Des peuples défunts ont bu à cette source sacrée

Et toi Miguel?

J'ai soif.

On venait en foule au XIième siècle, on voulait guérir la plaie de l'humanité.

Une goutte de cette eau sacrée Miguel

J'ai soif depuis hier depuis que tu existes avant toi et après toi Montserrat

On venait en foule au IXème siècle, on voulait guérir

Le rêve de l'humanité

Ils sont venus et j'ai encore soif. Pourquoi ?

Du côté de l'Orient on fit une cathédrale et une autre encore

Pour protéger la première, les remparts de la nuit s'élevèrent

Il y a longtemps

Je t'écoute Miguel. Je t'entends. Mais le brouillard me voile

Ton visage bien-aimé.

Du côté de l'Orient, on fit un pays de gloire.

— Tu sais que le 5 août 962, le feu de l'aurore...

— Non, le 7 ou 8 septembre 1020...

— Et bientôt encore, le 3 mai.

Vêtu d'écume et de néant,
Il traversa deux longues galeries parallèles,
L'une au nord, l'autre au midi.
Il s'enfuit sous les voûtes.
Miguel. Miguel.

— Et vois ce clocher qui veille sur notre solitude !

Dans la pénombre produite par les clochers
Miguel marchait toujours sans savoir que les immenses statues
Prisonnières contre les portes l'assuraient de leur mystérieuse présence
Il pénétrait dans le temple
Elles le regardaient comme des sœurs d'un autre âge
Nostalgiquement peut-être leurs yeux de marbre pensaient
Mais ne reflétaient rien
Elles étaient prisonnières de leur respect.

Sur chaque porte, la parole d'une sculpture, triomphante parole
Le Fils de Dieu monte aux cieux
Écoute Miguel, vois Miguel
Mais il ne regardait pas
Un vieillard de l'Apocalypse, son visage, malheur à moi
Je ne l'oublierai jamais,
Le terrible gardien du soir,
Miguel ne regardait pas. Il marchait loin de moi
— Dans les voussures, dit Miguel, des anges, encore des anges !
— Il faut bien qu'ils existent eux aussi, Miguel.
— La vie du Sauveur qui se déroule sur le vitrail, La Passion la plus méconnue.
— À quoi penses-tu Miguel ? Pourrais-je le savoir ?
— Non, dit Miguel. Trop tard.

J'aperçus alors une rangée de chevaux
Dociles, ils venaient de quitter la vie
Quand je le retrouvai
Miguel gisait sur un tombeau de pierres je ne voyais plus le brouillard
Le soleil nouveau coulait sur ses pieds et sur ses mains
Comme le sang de ce jour qui n'avait pas encore avoué sa meurtrissure,

— Comme il fait chaud, comme il fait bon, dit Miguel !
Beau gisant endormi qui suis-je le sais-tu ?
Nulle femme ne le connut comme moi
Nulle femme ne l'ignora comme moi,

(*Je me souviens alors de cette sculpture achevée à Paris, quelques jours plus tôt. « L'Espoir du Jeune Homme Assoupi. » Miguel en était l'âme. Je le découvrais. Ce bras noué à une forme inconnue, l'abstraite offrande du sourire...*)

— Viens plus près, dit Miguel. Dis-moi, où étais-tu ?

— Dans la crypte, dit Montserrat.

Montserrat enleva ses souliers et s'approcha de lui, pieds nus. Majestueuse et simple elle venait vers lui comme une ligne souple qui descend sur l'eau.

— Montserrat, dit la voix, où étais-tu ?

— Je me souviens de notre enfance en voyant cette madone. Elle est toujours seule sous ses larmes noires. Comme autrefois.

— De quoi parles-tu ?

— Rien, dit Montserrat.

— Viens, dit Miguel.

Je me suis allongée près de lui et je l'ai enlacé, là, sur le tombeau de pierres, au pied de la cathédrale de Chartres.

Qui sait? Était-ce un matin d'avril, un matin de mai ou un matin de décembre? «Mon amour, dis-moi, je veux que tu m'apprennes.»

— Car il m'apprenait tout en notre enfance, comment aimer la grappe de raisins qui débordait du panier, comment aimer l'ombre qui se dessinait sous nos pieds, sous nos sandales quand nous courions, comment sauter de cheval sans craindre le vertige. Nous allions droit à l'espace, lui et moi.

Je t'aime. Je t'aimerai.

Dis encore.

— Un homme t'aime et c'est moi. Silence en toi, Montserrat.

Et l'espace était une rose.

Nous marchions dans les parfums d'été, lui et moi.

Les grandes pluies de l'hiver ne nous atteignaient pas sous nos capes bleues,

— Apprends-moi comment il faut vivre.

— Je crains d'être très faible, dit Montserrat. Je crains d'avoir beaucoup vieilli.

— C'est la vie qui se fait à mesure que tu m'aimes.

— Oui, c'est la vie. Après tout, je ne suis pas encore lasse comme demain.

— Silence en toi, Montserrat. Je te cherche au fond de la terre.

— C'est la vie qui se fait à mesure que tu m'aimes.

— Oui, c'est la vie. Après tout, je ne suis qu'un peu meurtrie.

— Tu vois, dit Miguel, je suis toujours là.

— Oui, mais tu n'es plus le même, dit Montserrat, brutalement.

(*Éperdu, il regardait la noire innocence de son œil changeant.*)

— J'en aimerai encore des milliers d'autres en toi.

— Et jusqu'à la fin du monde, dit Miguel, si tu es une femme fidèle.

— Peut-être, suis-je une femme fidèle, dit Montserrat.

Peu à peu, ils devenaient eux-mêmes de la couleur des pierres, étroites sculptures du printemps sous le ciel éclatant.

lundi: nuit...

«Chère âme,»

(*Elle frémit et se souvint qu'elle désirait n'être pour lui qu'un corps-illusoire mais enchanté — parure d'une grande passion hautaine*) Tout le jour j'ai travaillé avec mes camarades à l'Opéra, dans une salle de répétitions humide.

Cette humidité venait de Paris inondé, rafraîchi et de cette humidité naissait un brouillard qui rampait autour de moi comme une bête blessée.

Alors j'ai pensé à vous, à toi, seul amour du plus précieux instant toujours menacé de finir. Je travaillais à un concerto de Beethoven (le concerto no 4) et je l'entends encore en moi, avec cette réminiscence de vous. Comme je voudrais être votre mari pour traduire l'impression trop mouvante de la musique!

Qu'avez-vous fait aujourd'hui, Montserrat? Alors que vous semblez la personne la plus libre de la terre, je crains que vous ne soyez qu'une esclave trop tendre. Voilà pourquoi je ne voudrais pas être une entrave dans votre innocent amour de la vie et de la mort. Aimez la mort, Montserrat, puisque cette mort ne vous fera aucun mal. (*Elle contient la sombre félicité de Miguel*)

Vous souvenez-vous du Rondo Vivace? N'est-il pas fait à l'image d'une cathédrale? La voix précise de l'orchestre entourait, d'un halo d'allégresse, le silence de chaque pierre, la détresse sommeillant de chaque portail... Et soudain, je vis Montserrat qui courait dans le brouillard et je la perdis.

(*La pierre, le silence de chaque pierre, c'est ma main élevée au-dessus du piano, j'attends dans une tragique impuissance il me faut attendre encore. Puis s'anime soudain la violente plainte des instruments, dont le chant d'un violon, pudique comme une voix d'enfant, et je comprends avec angoisse et plénitude que mes mains ont enfin osé reprendre contact avec le surnaturel*).

Montserrat. Montserrat.

Je vis une multitude de vitraux — tous reflétaient la couleur de vos yeux gris, et de ces vitraux obscurcis émanait pourtant une teinte obéissante aux lueurs et à la lumière: les piliers et les voûtes avaient une apparence de profondeur et de hauteur infinies, afin de vous mieux perdre, O Montserrat...

Confesseurs, prophètes démesurés, à jamais impassibles dans leur cathédrale de songe, regardaient passer une silhouette qui fut vôtre, un instant...

Et soudain, un tombeau de pierre. Et je vis votre main appuyée à une autre main insecourable.

O Montserrat.

Telle étiez-vous dans mon cœur — pendant tout ce Rondo Vivace.

Je compris que vous m'aviez déjà dit adieu.

— Que fais-tu ?

— Je lisais une lettre, Miguel. Elle venait d'ailleurs.

Et toi Miguel, où étais-tu ?

— J'écoutais un concerto de Beethoven.

— Tu es bien las de cette journée à Chartres, n'est-ce pas ?

— Comment expliquer tout ce que j'ai compris et perdu en une seule journée Montserrat?

— Je sais Miguel, tais-toi.

— Où vas-tu Montserrat vêtue de cet imperméable? Ne puis-je sortir avec toi?

— Repose-toi Miguel. Je veux simplement marcher jusqu'à l'Opéra. Et puis revenir à la nuit et dormir avec toi.

— Il faut donc toujours se dire adieu Montserrat?

— Oui.

Andantino. Ce mouvement était long et contrastant. Jouez, Johann. Les planètes s'animent... Jouez, Johann. Tout est immortel et rien ne sera oublié de ce qui fut.

Ces mains admirables qui reposaient encore dans une élévation inachevée, attendaient le souple retour de l'orchestre. Elles attendaient l'harmonie. Les doigts frémissaient à peine au-dessus du piano: peut-être glissaient-ils déjà sur des vagues sensibles, suspendues dans le silence d'un fleuve obscur, entre la vie et la mort...

Ainsi pensait Montserrat, assise auprès de son mari Miguel, dans cette salle de concerts de Paris le 3 mai, pendant que les instants s'écoulaient monstrueusement.

mardi — Bourges

À Bourges, Montserrat, je te perdis à Bourges, incandescente

Montserrat comme en ce matin du 31 décembre 1506

(*Et qui sait, Montserrat, en quel siècle, en quel mois nous étions, car je ne suis sûr de rien, sauf de toi quand l'étreinte te dépouille de toute parole, rivée à moi, enfin, tu demeures et tu es.*)

Lorsque la Tour Nord de la cathédrale s'écroula
Entraînant avec elle les voûtes et le portail
Ainsi la cathédrale entière s'écroula
Entraînant avec elle ton corps et le mien
Et pendant des heures nous fûmes séparés.

— Dis-moi Miguel, à quoi pensais-tu? Je sais. Au milieu du XVIième siècle. Il y avait ici cinq portes couvertes d'innombrables sculptures comme des arbres peuplés d'oiseaux. Il y avait d'abord...

Miguel la regardait. Il ne l'avait jamais regardée de cette façon. Oui, encore, parle Montserrat. Elle se sentit troublée et se couvrit les yeux du revers de la main droite: ainsi, à l'abri d'une imperceptible souffrance, elle pensa à lui. Il voyait briller ses cils bruns.

— Il y avait d'abord, adossé au huitième pilier de la nef, des sculptures représentant les scènes de la Passion, et pour enclore le chœur...

— Non, dit Miguel, ce n'était pas cela.

— Et les anges, et les six colonnes de cuivre.

— Tu n'en penses rien, dit Miguel.

Je lui dis alors: «Dis-moi ce que tu as choisi
Les flammes ou moi»
Car les flammes venaient des jardins
Grandioses fleurs, vous étiez témoins du Jugement Dernier
Grandioses fleurs, vous durez l'espace d'une parole

Pourquoi cet incendie Miguel?

Non, non, je ne pensais pas à cela, dit Montserrat.

Je lui dis alors: «Dis-moi ce que tu as choisi.»

Tu sais bien que c'est toi mon amour

Alors ne me quitte pas

Pour te rejoindre il faut d'abord te quitter

Je serai emportée comme une vague vois je glisse déjà

Dans l'embrasement des pierres,

Les piliers s'effondrent et je me vois enlacée par leurs lignes de feu,

Les flammes ou moi,

Vois,

Toi, Miguel, toi

Où iront les chapelles en fumée

Où iront les vitraux aux profondes blessures?

Où ira Montserrat ravagée

Avec toi

Du côté de l'Orient

Une cathédrale s'agenouilla dans les cendres.

Pendant des jours et des nuits nous fumes séparés.

— Toi, toi, Miguel, je te l'ai déjà dit.

Montserrat le regardait. Pétrifiés l'un devant l'autre, au seuil de la cathédrale de Bourges, ils se parlaient doucement. La femme s'aperçut que l'homme pleurait.

Je me suis allongé près d'elle et sur le tombeau de cuivre, nous avons attendu jusqu'à la nuit.

nuit de mardi

Cher Johann,

Je vous supplie de vous retirer de la vie de Montserrat et de la mienne. Vous méconnaissez le danger que vous représentez pour nous, ce risque paradisiaque et faussement enchanteur comme toute illusion. «Oui, éloignons-le de nous.» Nous avons cherché une évasion dans les cathédrales de France, une évasion de l'esprit. (*N'avions-nous pas été ensorcelés par vous?*) Nous sommes partis à la conquête de nos âmes, et savez-vous ce que nous avons découvert? Vous, Johann, et partout et en toute chose: votre présence...

Quelle imposture!

Demain, mercredi: partez à l'aube, je vous le demande. Ma femme et moi désirons encore quelques jours de paix avant votre triomphe de dimanche, à Venise. Avant votre venue dans notre vie, nous étions assez amants l'un de l'autre pour être amants de la vie.

Nous ne pensions jamais à la mort. Elle m'aimait. Je l'aimais, et par le simple bonheur de notre parfaite entente, je lui suffisais et elle me suffisait. Nous n'avions pas soif. Nous n'avions pas faim. Nous allions au bout de nos jours. Notre déchéance était pure. Nous étions rassasiés et sans extase. Et soudain, Montserrat a vu en vous une Tentation sublime dont j'ignore le sens — et il en fut de même pour moi, mais sur un autre plan, je crois. Elle a eu soif. Et j'ai eu faim. Nous avons été séparés l'un de l'autre. Nous avons eu peur, à Chartres, à Bourges, sur le tombeau de bronze, de cuivre ou de pierre, nous avons désiré retrouver nos corps perdus, nous avons gémi sur nos membres épars... Ainsi, vous nous avez inspiré une telle âme, une grandeur si sauvage que nous en avons meurtri tous nos désirs.

Vous êtes peut-être de la race des Immortels (*comme ces anges magnifiques que j'ai vus à Chartres, autres de Montserrat qui appuyait sa tête à mon épaule*) et cette tentation est aussi une tentation d'immortalité qui nous vient de vous, de vos paroles, de votre voix trop pure et trop déchirante — mais nous n'y succomberons point, nous préférons vivre et mourir ou mourir sans cesse et ne jamais renaître. Nous l'avons décidé, enfants, elle et moi, à Madrid, un jour de haute chaleur, quand je découvris la rose de son épaule pour la première fois...

Ainsi, l'ai-je compris, dimanche, lorsque le rideau tomba sur le dernier acte de ma pièce. Il y eut un crépuscule admirable et morne: le crépuscule du néant. Elle craint toute résurrection du passé. Elle craint de me voir apparaître à travers elle. Telle est Montserrat. Quand je me demande parfois, pourquoi les yeux de Montserrat deviennent si beaux à la fin du jour, j'apprends aussitôt que ces yeux sont les deux spectres tranquilles de tout ce qui n'est pas et de tout ce qui ne fut jamais, de tout ce qui a connu la blessure de ne pas savoir exister. Montserrat est mortelle. Comme moi.

Nous sommes des étrangers, vous et moi, et même si nous sommes soumis à la même loi de la création. Et tout ce que vous créez est marqué par cette immortalité quand, au contraire, pour Montserrat et moi, toute œuvre se décompose sous nos mains à mesure que nous la formons. Je sais ce que vous pensez.

Vous avez vu Montserrat faire jaillir de l'ébauche et de la magie un splendide front d'homme ou le triomphe d'un regard de jeune femme ou l'arc assombri d'une bouche d'enfant? Mais ces sculptures n'étaient que de passage sur la terre: à l'heure, à l'instant où je vous écris, elles se mutilent d'elles-mêmes comme tout ce que produit l'homme mortel. Nous périssons à chaque minute avec ce que nous sommes. Nous n'avons pas d'idoles à part ce culte amoureux que nous avons l'un devant l'autre, et ce culte est privé de délire. Il est plus sage que le désert. Je ne me plains pas de ce que nous sommes. Mais je vous prie de nous laisser ce qui est à nous, ce qui a toujours été à nous, entre les siècles. Si nous n'avons pas de vie future, nous avons eu nos vies antérieures et elles sont les secrets et les liens de nos existences d'aujourd'hui.

Montserrat ne sait pas ce qu'elle fait; elle voit en vous une présence diabolique... Celui qui tente à ce point ne peut être que l'ange et je l'ai toujours redouté plus que le diable. Je crains sa persécution.

Rappelez-vous notre première rencontre et Montserrat qui souriait toute lovée dans la pénombre de l'appartement. Montserrat languissait de vous entendre.

— Miguel, récite-nous ce poème, chéri...

Entendez sa voix souple et la marche de son corps, soudaine, inattendue le long du mur. Elle a fui la pénombre pour mieux vous regarder. Elle voyait le diable. Son ignorant regard me le reflétait.

— Miguel ! Allons !

De ce corps allongé à mes côtés
Je veux voir l'âme une seule fois
La prendre enfin comme un soleil blessé
Irrémédiablement l'étreindre
En son espace...

Écoutez Montserrat qui poursuit, à nouveau inerte devant vous, Écoutez...

Souffle d'automne sur mon front isolé
Tu ne sais pas qui j'aime,
Tu ne sais pas où je vis
Tes longs yeux de neige
Ne me conduisent nulle part
Tu ne sais pas qui je pleure
Et qui je chante
Si vous n'existiez déjà, O Incohérente terre
Je vous chercherais en Dieu
Souffle d'automne sur mon front isolé
Je m'élance enfin dans les origines du feu !
J'allais sans espoir d'un vent à l'autre
Secoué par l'ouragan du ciel
J'allais sans espoir d'un vent à l'autre
Pleure, pleure, toi qui vis !
De ce corps allongé à mes flancs
J'ai voilé l'âme trop nue...

— Tais-toi, dis-je à Montserrat. Et elle se tut, mais insoumise elle ne cessait d'attendre quelque chose. Elle parla enfin. (*Je m'étais éloigné de vous pour mieux regarder tomber la pluie sur Paris, mon être était glacé et triste, je voulais vous entendre rire ensemble, découvrir le rire de l'ange dans le rire confus de la femme. Mais il n'y eut rien. Ces quelques paroles de Montserrat peut-être...)*

— Moi aussi je suis émue quand je pense à ce qu'il écrit. Mais Johann... (*Non, elle répète votre nom, désespérément*) Johann, mon ami, il ne sait pas ce qu'il dit, il ne sait pas que tout cela est peu de choses, il ne sait pas comment ni pourquoi ces vers lui sont inspirés, ni par qui, et je ne veux pas qu'on lui apprenne : il n'écrit que sa condition d'homme mortel, il écrit avec des cendres et nous vivons avec notre sang (*une main sur la poitrine elle devait entendre battre son cœur comme le fait une jeune fille qui pense*) Johann ! Johann ! Comme il souffrira demain ! (*Son cœur devint irrégulier et elle ressembla un instant à la vieille femme qu'elle n'aurait pas le temps de devenir !*). Éloignons toute souffrance, Johann ! Mon mari écrit tant de paroles dont il ne connaît pas le poids. Déjà, petit garçon, il écrivait la mort des taureaux sur ses cartables d'écolier, c'est là d'abord que j'ai vu couler le sang, penchée au-dessus de lui pendant que sa plume noire traçait des mots immenses et rouges. J'ai vu s'ouvrir une plaie. Et puis j'ai oublié. J'étais avec lui, à Rome, à cette université dont je ne sais plus le nom (*demandez-le-lui, il sait tout de notre passé moi j'oublie*) — pendant qu'il écrivait des mots plus terribles encore, dans la grande vengeance inconnue de la guerre. Mais il savait écrire, aussi, le chant des fontaines, la plainte des sommeilleurs, tant de choses défuntes !

— Cet adolescent sauvage, je l'ai vu passer autrefois, dans les rues de Rome...

Le vent courait sur les cheveux de Montserrat. (*À ce moment-là, je suis venu fermer toutes les portes*). Je crus me pencher sur la nuque tiède de Montserrat. Mais ce n'était qu'en pensée.

— Miguel, quelle fraîcheur soudain !

Vous étiez là, vous étiez toujours là, m'épiant sans le savoir.

mercredi : la cathédrale de Reims

Miguel, Miguel, récite-moi ce poème, afin que je me souvienne de toi jusqu'à ma mort, peut-être sera-t-il possible Miguel, Miguel, si tu le veux que je me souvienne de toi au-delà de la mort ; ainsi tu serais toi-même mon immortalité et je n'en voudrais point d'autre.

Oui, je désire que ton corps n'oublie rien et à jamais rien de ce qui est mon âme.

Miguel, Miguel, comme ma mère qui mourait seule et sans Dieu. Et à qui l'on demandait : Qui voulez-vous voir ? Qui voulez-vous aimer ? Voici le dernier instant et l'éternité est toute proche.

Bientôt toute chose sera finie alors ouvrez les yeux sur ce qui ne finit pas et sais-tu ce que cette femme répondit ?

Que mon corps n'oublie rien et à jamais rien de ce qui est mon âme.

— Ma mère était jeune très jeune, le jour de sa mort, dit Montserrat. Nulle ne le savait comme moi.

Où est mon amant ? Où est mon mari ?

Ainsi mon père s'approcha d'elle et prit sa main.

— Montserrat, dit-il, il n'est plus permis que j'existe devant Dieu.

— Tais-toi, dit Miguel.

Il posa sa main sur la bouche de Montserrat et la tint close :

— Tais-toi, supplia-t-il, dans une farouche douceur.

Il enleva sa main. Montserrat le regardait. Ses yeux veillaient le silence de la nuit.

— Parfois, Miguel, tu confonds ce que je te dis en toi et ce que je pense, loin de toi.

— Oui, dit Miguel, humblement.

— Parfois, Miguel tu confonds ce que tu écris avec ce que tu vois.

— Oui, dit Miguel.

— Je t'en prie, ce poème, avoue-le-moi pour la dernière fois. Et dis-moi ce que tu as vu dans la cathédrale de Reims ?

— Je crois que j'ai prié, dit Miguel.

Montserrat joignit les lèvres sous l'effort d'une pensée ininterrompue.

> À la cathédrale de Reims
> En ce matin de mai
> On sacrait un roi...
> Voyez l'Ange de Chevet qui passe...
> Voyez l'Ange de Chevet...

— Nous sommes en 1328. On verra le sacre de Philippe VI...

— Le roi dont je parle ne sait rien de sa puissance.

Le roi dont je parle n'est qu'un enfant. Il n'y a pas de temps pour lui.

Voyez l'Ange de Chevet qui passe...

À la cathédrale de Reims
En ce matin de mai
On sacrifiait un enfant.

Mais non, Miguel, tu sais bien que tout cela se passait dans ton esprit. À peine avions-nous fait quelques pas sous le grand portail, qu'une multitude d'enfants venaient déjà vers nous. Les premiers communiants du mois de mai, comme une étendue de lys qui s'épanouit en un horizon fabuleux.

Je lui disais «Miguel, reste avec moi». Mais il se laissait emporter dans ce majestueux déploiement d'ailes pures. Il naufrageait au centre de mon âme.

Miguel. Miguel.

Dans la cathédrale de Reims que je contemplais tel un siècle perdu — je voyais passer l'effrayante unité et la cité chantante de la symétrie,

Parmi tant de proportions géantes je voyais passer les passions des hommes comme des vents lumineux,

On avait fixé l'harmonie sur les traits de l'Ange de Chevet,

O Vent brutal, O Vent Tendre

Passaient les vents du Jugement Dernier.

— Mais non, Montserrat, ma chérie, tu sais bien que tout cela n'existait que dans ton esprit.

— Peut-être bien, Miguel.

Je lui disais «Miguel, ne me quitte pas.»

La cathédrale dominait la ville

La cathédrale dominait le monde,

Miguel je ne suis qu'une amante de tout cela,

Il vaut mieux ne pas me quitter,
Galerie des prophètes,
On dirait que Dieu pense, regarde Miguel
Mais non, Montserrat, c'est le clair délire de ton esprit

Une rangée de dalles blanches, bordées de pierres noires
Et les enfants marchent et leurs ombres volent
Est-ce un rêve Miguel?

Tout n'était que rêve dans ton esprit, Montserrat.
L'esprit de Montserrat est le val où fleurissent de gais désordres.

Et pourtant, ces labyrinthes, Montserrat, je les ai bien vus
Et ces voûtes hautes où s'écoulait la transparence du ciel
Miguel. Miguel. Tu étais en exil. Tu n'as rien vu.

Et les six tours. Et les sept escaliers de marbre noir
Et les colonnes élancées comme des aubes
Et cette rose, Miguel, cette rose à six lobes
Qui s'ouvre sur l'Occident.

Elle s'est refermée depuis. Tout n'était que beauté dans ton esprit.
— Dis-moi ce poème, supplia Montserrat.
— Oui, dit Miguel.
La voix de l'homme brûlait son sang, solitaire cascade de plaintes.

Andantino. Le souvenir de la femme brûlait son sang.

À la cathédrale de Reims
En ce matin de mai
L'enfant mélancolique se tait
Quand on vient de le coiffer d'épines
À la cathédrale de Reims
« N'en dites rien à sa mère
Qui tisse dans sa maison lointaine
N'en dites rien à sa mère. »
Ainsi coule sur le front de l'enfant
La première neige rouge de son sang
N'en dites rien à sa mère
Qui tisse pour son fils
Dans une maison lointaine.
Mais l'enfant mourra aujourd'hui
À la cathédrale de Reims
Il est le prince du sacrifice
À chaque jour un enfant meurt
Dans une cathédrale
À chaque jour la rosée tue l'œillet
Pour te laisser vivre, Montserrat.
À chaque heure, l'enfant
Disparaît dans l'écume des océans
Pour te laisser vivre, Miguel.
Je tisse la tunique de perles
Qu'il porterait demain.
N'en dites rien à sa mère
Qui coud le fragile vêtement de la mort,
Pour te laisser aimer, Montserrat.
Ainsi tombe sur les doigts de l'enfant
Le Midi tiède de son sang
Et de généreuses mains accablées

Posent les colliers d'épines
O Ronces, vous pleurez
Quand l'enfant méditatif
N'ose point murmurer sous ses cils lourds,
Ainsi tombe sur les doigts de l'enfant
Le premier deuil de son sang.
Je tisse la tunique de soie
Que mon fils souillera demain.
N'en dites rien, n'en dites rien à sa mère.
Que devient le rossignol
Dans notre maison?
Ne pourrait-il venir jusqu'à moi
Messager de la lune
Ne pourrait-il partager ma blessure
Que devient le rossignol
Oublié?
Je meurs pour celui qui ne me connaît pas encore
À chaque heure, un enfant
Se voit captif d'une rédemption inachevée
Que devient le Rossignol
Dans notre maison?
Ne pourrait-il venir jusqu'à moi?

Crucifiez-le
Qui donc a dit cela?

Toi ou moi Montserrat
Toi ou moi Miguel
En ce matin de mai
L'enfant a été dépouillé de ses vêtements

(*Alors sa mère penchée sur la tunique qu'elle cousait a vu poindre une goutte de sang, comme une larme tombée au creux du miroir sensible*)

Tremblant au seuil de la grâce
Et de la nudité
L'enfant est abandonné au Midi
Éclatant de la souffrance
N'en dites rien à sa mère
Qui le croit endormi dans le bois du rossignol
N'en dites rien à sa mère
Qui le croit ébloui
Par le mirage des fontaines de Jérusalem

(*Déjà, déjà, elle oublie le point de sang*)

On crucifie l'enfant
Dans la cathédrale de Reims,
On cloue ses pieds et ses mains
On crucifie l'enfant
Dans la cathédrale de France
Et sur son flanc qui saigne
Se répandent enfin les premières neiges
De la mort.
(Déjà, déjà elle oublie la mort de son enfant)

Montserrat ouvrit les yeux. La voix de l'homme se tut.

— Chéri, dit-elle, ce Poème de la Passion n'a jamais existé hors de ton esprit.

— Peut-être, dit Miguel.

— Ce n'était qu'un songe.

— J'ai peur, dit Montserrat. Car cela pourrait être vrai, aussi.

Elle se souvenait de la fin du jour à Reims. Elle avait retrouvé Miguel. Elle s'était agenouillée devant lui, elle lui avait dit: «Je crains de trop t'aimer». Il avait caressé sa nuque docile au mouvement. «Miguel, tu m'entends n'est-ce pas? Je crains de prendre toute la place en toi, comment te dire, la place interdite, la part de Dieu.»

— Cela ne fait rien, avait dit Miguel.

Et dans le train, lors du retour vers Paris, il prononça les mêmes paroles, sans angoisse.

— Tu ne mesures donc pas ce que je te dis Miguel?

— Montserrat, ne crains rien. Je sais ce que je veux.

Soudain, quelques jeunes gens entrèrent dans le compartiment. Miguel détourna le visage, comme un homme las de lui-même. Montserrat reconnut la jeune fille pianiste et son fiancé Jean et les enfants qui avaient chanté tout le jour dans la cathédrale.

— Vous vous souvenez de nous, n'est-ce pas? Il est Miguel. Je suis Montserrat. Vous étiez à Reims aujourd'hui?

— Oui, dit la jeune fille, mon fiancé a mis un poème en musique, dans la cathédrale.

Elle s'informa aussitôt de Miguel:

— Et d'où venez-vous?

— Je voudrais tant le savoir, dit Miguel.

instant second

« Dans quelle contrée est-ce ? Je ne la connais pas. Là, toutes les choses se correspondent, toutes les choses se fondent doucement. Je sais que cette contrée est à quelque part, je la vois même, mais je ne sais pas où elle est et je ne peux m'en approcher. »
Kafka.

« Jeudi, ton visage m'appartient et je ne le connais point. »

Allegro Ma Non Troppo.

En ce dimanche de mai, à Paris, au début du troisième mouvement, Montserrat sentit faiblir son cœur — et vivement, son regard se troubla, savourant les bords d'un vertige délicat et vaporeux. Elle avait toujours été amie de toute chose vivante et elle l'avait été de ce cœur qui endiguait les tumultes de son sang. Elle en avait épousé la sûre régularité comme elle avait épousé le cœur de Miguel et l'inlassable dimension de son être.

« Mon cœur est trop lent. Tu es si lent »

— Que dis-tu ? demanda Miguel. Qu'y a-t-il ?

Sur le profil déserté de Miguel, elle voyait son propre visage réfléchi, absorbé: ainsi, Miguel avait porté une main à son cœur en pensant: « Mon sang se retire de moi, je vais bientôt mourir. »

— Silence chérie, dit Miguel.

Soudain, Montserrat se rappela à quel moment, en quel jour, elle avait déjà subi cette sourde détresse, cet abandon du corps qui se retire de l'âme (*avant que l'âme ne se retire du corps*). Oui, jeudi, à huit heures, dans les bras de Johann.

Allegro Ma Non Troppo.

La fin de ce mouvement serait la fin de Montserrat. Elle le savait. Johann jouait dans une bienheureuse simplicité. Ce qu'il savait, et ce qu'il ne savait pas, de ce mouvement contemplatif, se fondait en lui, en la puissance humble de ses mains ; il était l'aigle et la proie de l'aigle, celui qui se trouve et celui qui se perd.

Allegro Ma Non Troppo.

Ainsi pensait Montserrat, assise auprès de son mari.

Miguel, encore palpitante de la semaine qu'elle achevait de vivre, frappée à jamais par une révélation disproportionnée à elle-même.

« Oui, jeudi, ce visage. »

jeudi

— Qu'avez-vous fait de Miguel ?

— Il marche sur les quais.

— Par cette pluie ?

— Par cette pluie, oui.

Il prit les mains de Montserrat, les ouvrit sur la table de chevet, dans la lueur droite de la lampe.

— Je vois d'infinies blessures dans vos mains. Pourquoi ?

— J'ai taillé un vêtement à Miguel, tout le jour. Tu vois le chemin des aiguilles dans ma main.

Elle rit.

— Pourquoi briser vos mains ?

— Mes mains, pauvre Johann, elles ne servent qu'à tailler des pèlerines à Miguel.

— Et ces sculptures ?

Il désignait les hautes figures statiques qui les entouraient, les pressant de toutes parts, comme les fantômes de leur obscur amour.

— Elles ne sont pas vraiment de moi, dit Montserrat.

— Alors d'où viennent-elles?

— Tu le sais mieux que mon esprit, dit Montserrat. Ne m'interroge donc pas.

Venaient trois jours parallèles aux trois premières journées. Lundi et mardi, mercredi, avaient servi aux poursuites et à l'orage dans les cathédrales de France — maintenant, ils entraient dans les trois jours de naufrage. La balance du temps était indifférente à cette subite précipitation. Montserrat avait eu trois jours de désespoir, elle pouvait bien prendre, aussi, dans l'immense étendue des jours qui recouvraient la terre inquiète — ces trois autres jours trop brefs, les jours qui donneraient espoir à sa chair avant de la voir se dissoudre dans le néant. Enfin, Johann était venu partager cet espoir diabolique, et elle ne demandait rien de plus. Si, peut-être, autre chose, ne pas oublier Miguel, demeurer à son service jusqu'à la mort. Et l'aimer plus qu'elle-même, quand il ne serait que ce peu de cendres qu'elle imaginait déjà au bout de sa vie, cette poignée de cendres ruisselantes dans sa main...

— D'abord, une femme se flétrit par ses mains, puis la bouche...

— J'ignore comment on meurt, dit Montserrat, cruellement.

— Où êtes-vous Montserrat? Où es-tu, toi si infidèle et si fidèle à la fois?

— Je sais où nous sommes, Johann. Au centre du déluge, à Paris. Les autres maisons se laissent engloutir par l'eau. Notre maison résiste. Oui, je sais tout cela. Depuis longtemps. Mais je mens, Johann. Ce qui m'intéresse, c'est vous. C est votre secret. Et vous ne le direz pas, même en dormant vous vous tairez. Ce corps que vous êtes... Ah! Vous croyez qu'il me suffit! Non, je sens trop bien tout ce qu'il me cache. Enfant, j'ai eu faim. On m'a donné du pain. Et ce pain n'était pas surnaturel pour ma faim. Il en est ainsi de toi. Tu es un ange ou un démon mais si tu n'es pas l'un et l'autre, tu n'existes pas.

— Je suis un homme, dit Johann. Ne t'obstine pas à croire autre chose.

(Et plus doucement, refermant les mains de Montserrat entre ses mains, comme on recouvre la surface agile d'une chose trop vulnérable au contact) .

— Montserrat, je voudrais aussi savoir qui tu es !

— Que voudrais-tu savoir enfin Johann ? Oui, je n'ai vécu que pour lui. Et alors? Que faut-il devenir de plus qu'une morte pour avoir tant aimé ? Protège-le. Ne le tente pas de cette immortalité étrange. Je sens en lui, cette tentation. Le goût de me fuir, pour aller plus loin dans le temps. (*L'amour n'est-il pas le Dieu du temps perdu ?*) C'est tout ce que je puis être pour lui, c'est tout. Que lui as-tu fait ? Pourquoi es-tu venu ? Pourquoi t'ai-je poursuivi ? Enfant, je me souviens avoir désiré te connaître... voir tes yeux, être prise par toi. Oui, je l'ai voulu. Mais pourquoi ? C'était absurde ? Et tu resplendis de tout ce que nous ne serons jamais. Ton heureuse placidité est notre juge.

— Montserrat, je crois savoir que tu redoutes la fin de ton corps. Car crois-tu, il n'y aura jamais aucun commencement ensuite !

— Non, aucun. Mais prenez-moi encore, afin de me communiquer un instant — un seul, si cela est en votre pouvoir (*la beauté du diable est toute-puissante*) cette intime éternité qui me sera bientôt ravie.

— Non, dit Johann. Éloignez-vous de moi.

Montserrat entra dans l'étreinte comme dans un tombeau, ferma les yeux, vit s'étendre hors d'elle-même ses membres longs et foudroyés, savoura la détente — bien immense — devint peu à peu, la plaine soulevée, immobile un moment, aussitôt redressée, anéantie et délivrée encore par les vents du plaisir, et à nouveau interdite jusqu'à la pudeur. Puis vint le vague bonheur du sommeil qui la saisit par surprise: une à une, les roses entr'ouvertes des doigts se fermèrent; imperceptiblement, le ventre blond, tel l'oiseau captif du vertige, sombra en répudiant toute caresse tremblante. Ainsi le maïs doré s'éloigne de la brûlure du soleil.

Le cou et la tête s'abandonnèrent au vide délicieux, comme l'arbre qui s'écroule majestueusement dans un grand silence vert qui ne ressemble en rien au silence de la détresse. Les épaules, les seins de Montserrat étaient l'écorce tragique de cet arbre (*on les voyait se séparer de l'arbre, se tendre, se dissimuler, brusques et changeants*) tandis que son sang en demeurait la sève secrète, originel fleuve sacré. Et les jambes se dressaient déjà, somptueux sacrifice d'un brasier noir.

Montserrat dormait dans l'étreinte, au cœur d'un tombeau au cœur d'un arbre, elle n'oserait pas fouler d'un seul cri le deuil que formait autour d'elle l'éparse forêt du monde.

Quand elle se réveilla, elle sentit croître en elle les plaies de l'amour. L'Instant était déjà un autre passé. Johann simulait le silence, allongé sur le côté, son corps paraissant posé comme à travers le corps absent dont il venait de se séparer, avec la réelle cruauté du souvenir.

— Johann, murmura Montserrat, Johann.

Mais il ne devait pas entendre. Elle se trouva seule, et son cœur se mit à battre très lentement. Comment le rappeler à la vie, à la chaleur: «Tu me quittes, tu me quittes, je n'ai que toi, cœur vivant.»

Assise auprès de l'homme, Montserrat savait qu'elle venait d'être tirée de son flanc et elle lui laissait ce sommeil, car elle n'ignorait pas qu'elle avait toujours été la blessure de ce sommeil.

«Johann Johann, tu règnes sur mes os
Je règne sur ton sang
Nous ne faisons qu'un
Au-delà de notre volonté
Qui ne dure pas...»

Peut-être, la femme, en se penchant sur son flanc clair, découvrait-elle comme au-dessus d'une rivière diaphane, le secret d'une souffrance étroite née avec elle. Elle ne demandait qu'à s'effacer devant le mystère d'une aliénation trop douce, l'aliénation au malheur de l'homme.

«Maintenant, pensa Montserrat, je pourrai étreindre Miguel et lui inculquer cette force, cette luminosité que je sens au fond de moi, ou plutôt ces ténèbres absolues qui m'éblouissent.»

— Johann, entends-moi !

Il ouvrit les yeux et se plaignit de son corps enchaîné :

— Montserrat, qui donc est venu ravir un peu de ma chair ?

— Moi, dit Montserrat. Pendant ton sommeil.

— Tu savais bien que j'en souffrirais, dit Johann.

— Oui, je le savais, dit Montserrat.

Vers la fin du soir, Montserrat sculptait le visage de Johann. La proche fraîcheur de la nuit s'unit à la fatigue de ses doigts et Montserrat put créer un homme.

— Qu'as-tu Montserrat ?

— Ce n'est rien, Johann, mais c'est là ma dernière création et j'y laisserai ma vie. Pourquoi t'inquiètes-tu ? À mesure que tu vis de moi, je meurs. Il faut que je te laisse mon regard... Il faut...

— Oh ! Taisez-vous, supplia Johann, Mon Amour, vous êtes si lasse.

Nulle larme ne jaillirait des yeux éteints de Montserrat.

— Oui, je suis très lasse, dit la femme.

nuit de jeudi

Miguel ! Miguel !

Montserrat l'avait attendu au seuil de toutes les maisons de Paris. Elle avait couru sur les quais. Elle l'avait guetté à la sortie du métro nocturne. Miguel n'était plus là. Il continuait sa poursuite épouvantée, celle qui l'avait conduit jusqu'à Bourges. Il cherchait à refermer sur lui la plainte grandiose de Paris.

— Miguel !

Soudain, elle le vit, haletant et solitaire. Elle prit son bras et lui demanda de bien vouloir la suivre jusqu'à la maison. La pluie commençait à geler dans les rues.

— Et tu as froid, Miguel, nous ferons un bon feu dans la chambre...

Elle lui souriait comme autrefois, comme lundi, en rentrant de Chartres.

— Si tu savais combien j'ai faim de te prendre dans mes bras, dit Miguel.

— Tu as cherché l'ange, Miguel ?

— Non, je l'ai fui, dit l'homme.

— Et demain Miguel ?

— Je le fuirai, dit l'homme. Et toi ?

— J'ai trouvé ce que je cherchais. Je voudrais m'en approcher de façon à ne plus jamais m'en éloigner.

— Et demain Montserrat ?

— Je le ferai encore — dit Montserrat.

Ils étaient debout, devant les cinq escaliers de fer qui les séparaient de leur appartement, des portes closes à clef, de leurs chambres.

— Nous n'arriverons jamais, dit Montserrat.

Alors, triomphant, Miguel prit la femme dans ses bras et gravit chaque marche, accompagné d'une proie légère qui ne le quittait pas du regard, blottie au creux de son épaule, reconnaissante et fidèle à ces noces inconnues.

Penchée sur le feu qui réchauffait toute la chambre, Montserrat frottait ses mains l'une contre l'autre, attentive à la présence de Miguel.

— Qu'as-tu fait de tes mains et de tes yeux, Montserrat?

— Oui, chaque jour tu me le demanderas, Miguel. Je vais vieillir très ardemment. Ne t'occupe pas de moi. Suis-je si laide depuis que je commence à mourir?

— Non, dit Miguel.

— De tes mains si vastes — redresse-moi, oui, je vais périr.

Miguel avait eu pitié des paroles de Montserrat.

Et de cette autre étreinte, il se releva avec une blessure au cœur.

l'Espagne du songe

«Tu avais dix ans, peut-être ou huit ans, Montserrat

Je t'ai vue pour la première fois dans une église de Barcelone

Éloignez-la de moi, disais-je à ma mère et à mes sœurs

Elle est trop belle pour me plaire

Elle est trop douce pour m'aimer

Mais je savais déjà qu'à travers le monde entier

Montserrat m'attendrait

Avec ce même sourire fatal»

«Dites-moi pourquoi la vierge est occupée à filer
Quand vient le message de l'Ange?
Dites-moi pourquoi...»
Je n'ai rien dit, Montserrat.
Tu avais neuf ans, peut-être, ou treize ans Montserrat
Quand tu vins à moi pendant ce pèlerinage à la Vierge
C'était en une nuit illuminée de Montserrat
Alors j'enlaçai ta taille
Nous étions seuls parmi les foules silencieuses
«Priez avec moi, priez avec moi à Montserrat.
Je n'ai pas prié
J'ai vu Miguel à Barcelone dans un jardin
Au milieu de la mer
Nous dormions dans un bateau le soir
Et à chaque aube nous nous retrouvions
À la baie de Palma de Majorque,
Les côtes d'argent s'éteignaient
Et paraissait le port, et au loin, comme une montagne
La cathédrale...
— Quelle était cette église de Barcelone?
— Santa Maria Del Pina.
— Non, dit Miguel, c'était à Santa Maria Del Mar. Au mois de mai.
«Dites-moi pourquoi la Vierge est occupée à filer
Quand vient le message de l'Ange?
Dites-moi pourquoi?» Il ne m'a rien dit.
Le visage de ma mère était voilé de noir,
«Éloigne-toi, Miguel, marche avec tes sœurs, Miguel.»

Nous allions à Avila
Les mains de ma mère étaient voilées de bleu
Mes sœurs avaient des jupes profondes comme le ciel
On y voyait des étoiles et des fleurs dessinées à l'aiguille
J'aimais le creux chemin de leurs tailles agiles
Nous allions à Avila
Sur la route, les vieilles femmes lasses
Posaient leurs têtes contre le soleil couchant
Elles respiraient calmement
« Miguel, Miguel, pourquoi pleures-tu Miguel ? »
Lumière brune et fidèle
Notre petit âne mirait ses yeux
À chaque puits, à chaque pas.
Tu avais dix ans ou sept ans, Montserrat
Quand je te vis marcher vers moi, droite et magnifique
Les yeux fermés, tu venais au bourreau innocent
Sans savoir qu'il te lierait à jamais à ce soleil couchant
D'Avila
Comme à la passion sanglante de son cœur.
— Là-bas, les montagnes se dressaient comme des buissons d'épines
De tristes oliviers courbaient sous les vents
— Non, dit Miguel, seuls les oliviers s'élevaient
Dans l'austère solitude,
Inattendus comme la plainte de la harpe...
« Dites-moi pourquoi la Vierge est occupée à filer
Quand vient le message de l'Ange ? »
— Loin, très loin dans cette église de Barcelone
Je n'ai rien dit, Montserrat.
Amenez-moi à Madrid

Éloignez-vous de moi
Ne suis-je pas votre fiancé?
Amenez-moi à Madrid
Vous n'avez pas quinze ans
— Madrid, l'église de San Josué,
«Dites-moi pourquoi la Vierge est occupée à filer
Quand vient le message de l'Ange?»
À la Plaza Monumental
Une course de taureaux ou une course d'astres?
Miguel ne pensait qu'à moi et je ne pensais qu'à lui.
De lui à moi une seule distance
Le battement d'un éventail,
«Retirez cet éventail, vous me cachez vos yeux».
Mais je ne l'écoutais pas pour mieux penser à lui
«Cruelle, que faites-vous, ah! Que vous êtes femme!»
Je voulais lui faire comprendre cette autre distance
Qui existerait toujours
— As-tu compris Miguel?
— Non, plus tard, beaucoup plus tard.
«Vous me donnez la fièvre, Montserrat. Écoutez-moi.»
Nous paraissons unis aux yeux des hommes
Dieu nous fit inséparables pareillement
«Infinie distance, O Montserrat.»
Et cette seule distance suffisait à rompre le monde
«Baissez l'éventail, vous me donnez soif de vous voir.»

Feu et ombre — elle élevait et abaissait l'éventail

Et jamais je ne connaissais le repos de ses yeux,

Course de taureaux ou course d'astres?

Les alquazils défilaient à cheval, les picadors

Et les banderilles

Tous se préparaient au festin d'une agonie

Et moi je n'avais que Montserrat

Qui me faisait mourir de mille morts,

Amante ininterrompue de ma vie...

Les picadors à cheval, enfonçaient les premiers

Leurs pointes dans la victime à peine révoltée

Il est affaibli, je souffre, mon sang coule je souffre

Non, Montserrat, Non

Les banderillos le torturent à nouveau

Ils avancent vers lui et l'effleurent d'un sournois tourment

— Avec les opprimés, tu es un opprimé;

Avec les forts, tu te redresses.

— Oui, dit Miguel.

Non, écoutez-moi Montserrat, vos yeux

Déjà c'était la mise à mort et le matador attendait le triomphe

L'éventail tombe de ses doigts brûlants

Pourquoi pleures-tu Miguel?

— J'ai enfin compris cette infinie distance, dit Miguel.

dernier instant
vendredi : Paris du songe

De l'Île Saint-Louis, ils voyaient le chevet de Notre-Dame, tel un ensemble parfait de pierres scintillantes. Brutale et rapide comme le départ d'un cygne dans la nuit — la voix de Montserrat approchait la joue de Miguel et s'effaçait aussitôt.

— Non, tu n'as pas compris cette infinie distance, non Miguel. Tu n'en sais rien encore.

— Tu m'as donc entendu te parler en rêve, Montserrat ?

— Oui.

— N'aie pas de chagrin, Montserrat. Ce n'était que le rêve du rêve.

— J'ai tout entendu, dit Montserrat.

— Sois douce, Montserrat.

— Tu te souviens, à Grenade, Miguel, tout nous séparait l'un de l'autre. La couleur du ciel, la couleur de l'eau, la parole d'un enfant dans une maison, le regard d'une femme inconnue — pardonne-moi, je me sens encore dans cette grande séparation de toi. Je ne sais d'où cela me vient.

Sur le front de Miguel, la pluie se répandait parfois comme le baume des neiges.

— Je ne souffre pas, dit Miguel. Je ne ressens plus rien.

Et je ne comprends plus ce que cela signifie « être séparé de quelqu'un que l'on aime. » Pourquoi serais-tu séparée de moi ? Nous sommes ensemble

— Je sais que tu as été très humilié, Miguel, dimanche, le jour de la générale.

— J'ai oublié, maintenant, dit Miguel.

— Tu as été très humilié aussi, de te savoir à jamais incompris de Johann.

— Peut-être, dit Miguel, mais j'ai réellement tout oublié pour penser à toi seule.

Quand il y avait course de chevaux le dimanche
Je venais m'asseoir près de lui dans les jardins
Nous étions seuls sous l'immense clair de lune
À guetter les chevauchées mystérieuses
Ils allaient droit, beaux chevaux blonds
Se noyer dans l'or des épis
Miguel Miguel
Chevaux blancs
Courant sur la rivière gelée

— Que fais-tu? demande Miguel, oui pourquoi caches-tu ton visage de ton parapluie? Tu sais bien que j'ai besoin de te voir.

Quand il y avait course de chevaux le dimanche
Je venais m'asseoir près de lui dans les jardins de Saragosse.
Et nos parents disaient de nous:
«Laissons en paix ces enfants tragiques
Car ils sont l'un à l'autre
À travers les siècles.»

— Feu et ombre jamais je ne connais le repos de tes yeux.

Course de chevaux ou course d'astres
Je montais sur son cheval, de quelle main délicate
Il s'emparait de moi pour me sentir à lui,
Et pourtant quand il ouvrait les doigts

Cela suffisait à me perdre

Montserrat. Montserrat, disait-il, j'approchais mes lèvres de sa bouche

Miguel Miguel, lui disais-je

Tu es pêcheur du Levant

Et il riait

Course de chevaux ou course d'astres

Je ne venais plus m'asseoir près de lui

Le dimanche à Saragosse, car nous avions grandi

Et nous étions hommes de l'univers.

Et le vent automnal comme son rire

Voguait de branche en branche

— Je veux te voir, supplia Miguel.

Le parapluie tomba des doigts brûlants de Montserrat

— Ce n'est rien Miguel, ce n'est rien. Je suis là.

Et elle l'entendit rire — comme autrefois.

vendredi. nuit

Montserrat, les bras rejetés de chaque côté d'elle-même comme une barque qui repousse les hautes pressions des vagues et de l'écume, glissait, de silence en silence jusqu'à cet abîme de l'inconscience étonnée où elle ouvrait parfois les yeux pour se rappeler à elle-même, avec prudence — que Miguel existait toujours.

— Pourquoi coudre si longtemps, Montserrat? Tu portes tant d'années en toi, Montserrat.

— Et toi, Miguel, que veux-tu faire? Tu sais bien que les tentations ne se tuent pas.

Miguel tira les rideaux et vit les œuvres de la nuit, ces stériles statues nées de l'esprit agile de

Montserrat, déployant leur chaleur dorée et secrète jusqu'à l'œil placide de Miguel. Enfin, cette chaleur envahit le corps et l'âme de Miguel et l'homme reconnut la sombre mouvance d'une pensée qui le liait à toute chose créée par les mains de la femme. Et il fut ému.

— Que veux-tu faire Miguel?

Telle une plainte craintive, la supplication de Montserrat l'atteignait et irritait sa violence.

— Pourquoi tuer ton frère Caïn? N'entends-tu pas la détresse de Dieu?

Mais ces statues qui avaient été les sœurs bien-aimées de sa vie et les enfants de Montserrat (L'obéissance parfaite dans le regard de chaque personnage) n'avait plus soudain, cette suprême soumission à la volonté de Miguel: soudain, elles se retournaient contre lui. Inexplicables et ennemies, Miguel les voyait se presser autour de lui. L'une d'elles les détruisait toutes. L'une d'elles. Johann...

— Que fais-tu Miguel? Que veux-tu faire?

O Miguel, quel triste vainqueur tu es! À genoux dans les morceaux de la statue brisée! Miguel. Miguel!

Il faisait nuit. Montserrat entendait vibrer la pluie sur les toits de Paris. Cela avait un tel écho en elle qu'elle se sentait vivifiée. Elle se leva, ramena ses bras le long de son corps.

— Comme je suis bien, s'écria-t-elle!

— Pardon chérie, dit Miguel. Je vais tout réparer.

— Non, Miguel, inutile. J'aime mieux ces vestiges, vois... les pétales d'une rose.

— Une fleur, dit Miguel.

— Notre printemps qui achève, dit Montserrat.

Elle découvrait l'insondable tristesse de se découvrir semblable à lui, déjà consumée dans ses cendres prochaines.

le samedi
allegro ma non troppo.

— C'est demain, dimanche, n'est-ce pas Johann ? Pourquoi n'es-tu pas parti plus tôt ?

— C'est demain que je joue, dit Johann. Vous savez que tout cela est très grave pour moi. Je me prépare depuis des mois à bien jouer ce concerto.

— Depuis des années, soupira la femme en haussant les épaules.

Blottie contre le mur, Montserrat écoutait Johann. Elle ramenait à sa mémoire, les débris de leur étrange aventure : cherchait obscurément la nécessité de cette exaltation sensuelle qui l'avait jetée — comme l'objet le plus pur et le plus impur à la fois — aux mains de Johann.

— Faites de moi ce qu'il vous plaira...

— Cette parole est monstrueuse. Il vaut mieux la retirer.

— Je ne peux pas la taire, dit Montserrat, révoltée.

Il n'était déjà plus l'homme qu'elle avait retenu au seuil de l'éternité, l'âme de Johann venait sauver le corps de Johann. L'âme radieuse et sensible...

— Non, je ne veux pas, dit la femme.

allegro ma non troppo.

L'homme jouait toujours. Ce qui brûlait dans ses yeux, n'avait plus de nom. Ce qui frémissait à l'intérieur de son être n'avait plus cette résonance furieuse ou calme qui étonnait hier la mémoire de Montserrat. Tout s'écroulait.

Johann avait été foudroyé par le bras de Miguel.

— Vous souviendrez-vous de moi à Vienne ?

— Oui, dit l'homme.

— Et demain à Venise, dans la cité éternelle ?

— Oui, Montserrat.

— Comme tu mens ! Tu as déjà oublié cette étreinte qui fait soudain comprendre à la femme qu'elle est destinée à l'homme, à son corps, à son désir, tu as oublié cette étreinte donnée debout, à Paris, sous la pluie, dans la nuit de ce mois de mai, et comment la forme de ton corps total s'est emparée de moi pour me surprendre, m'étonner, me plaire, me ravir enfin, toujours debout sans bouger, avec ta main posée sur ma nuque, et je te regardais mieux et plus doucement, tu as oublié Johann, et vite je suis allée rejoindre Miguel dans ma chambre et je l'ai étreint de la même manière et j'ai tout compris à nouveau. Miguel a souri il a posé sa main sur ma nuque et j'ai fermé les yeux.

allegro ma non troppo.

— Venez plus près Montserrat.

Elle obéit. Il posa sa main sur le sein de Montserrat et ferma les yeux.

— Ce cœur, ce pauvre cœur...

À la place de l'Opéra, Miguel vit se dresser, autour de lui, le vaste azur déchiré. Il avait été chancelant de la même manière autrefois — chancelant et emporté devant la miraculeuse étendue de la Méditerranée.

Montserrat. Montserrat.

Il l'attendrait ici. Elle viendrait peut-être ou elle ne viendrait plus jamais. Et la première fois qu'il avait vu Montserrat, il avait eu le désir de La Méditerranée et enfin, le désir des yeux de Montserrat. Et tout s'était apaisé en lui. Montserrat l'avait conquis d'un seul geste du doigt, d'un mouvement de l'épaule. Comme il regrettait d'avoir tant aimé ! Comme il était las !

« Tu n'auras pas froid avec cette pèlerine mon amour

Tu n'auras plus mal

Tu peux aller au bout du monde

En combien de jours as-tu taillé ce vêtement Montserrat ? »

« Une journée a suffi. »

Il marchait vers la silhouette invisible de Montserrat (cette silhouette de feu qui éclipsait tous les soleils d'Espagne, hier) Montserrat prête à venir vers lui, à surgir de partout, Montserrat et son pas fraternel.

— Plus près Montserrat, je vous en prie...

Miguel aimait être l'esclave du dernier jour du monde.

La pluie ruisselait encore sur ses membres déserts.

Il s'aperçut bientôt que son cœur était une coupe ouverte.

Le sang coulait sur ses vêtements.

Tu n'auras plus mal avec cette pèlerine mon amour...

— Miguel, tu ne m'attendais donc pas ?

Elle était là, sans tristesse et sans force.

— Miguel, ton cœur, ton pauvre cœur...

Elle posa sa main sur le sein de Miguel et ferma les yeux.

La blessure se cicatrisait en lui.

allegro ma non troppo.

Telle était la fin du dernier mouvement. Johann se leva. L'heure de triomphe éclata comme une indicible rumeur dans cette salle de concerts de Paris, en ce dimanche, le trois mai.

Montserrat voulut se retourner vers Miguel, mais il n'était déjà plus à ses côtés.

Quelque temps plus tard, Montserrat vint à Johann. Il saisit les mains de la femme :

— Non, Montserrat, il ne faut pas vouloir tout quitter.

— Mais je le veux, dit-elle.

— Et Miguel ?

— Je le retrouverai.

Il la regarda partir. Il pensait à elle et à beaucoup de choses à la fois. Il était heureux. On venait de lui apprendre la naissance de son deuxième enfant. Il avait espoir de rentrer à Vienne bientôt, il avait espoir...

Et la Seine avait déjà emporté l'âme et le corps de Miguel. Il gisait seul dans la détresse des eaux. Courant sur les quais, Montserrat se hâtait vers les fleuves... Ouvrir le tombeau de Miguel, et reposer près de lui.

Le déluge cessa sur Paris.

La Place de l'Opéra fut incendiée en un instant. Montserrat dut périr là, ignorée de l'homme qu'elle avait aimé.

Et à Vienne, il neigeait ce jour-là et l'Enfant de Johann naissait.

Chronologie

1939	Marie-Claire Blais naît le 5 octobre dans un quartier populaire de Québec (Saint-Fidèle), de Véronique Nolin et Fernando Blais.
1956	Elle obtient son baccalauréat d'immatriculation junior (versification) au couvent Saint-Roch dirigé par les Dames de la Congrégation.
1959	Elle suit des cours de littérature française à l'Université Laval à titre d'auditrice libre. C'est là qu'elle rencontre le Père Georges-Henri Lévesque et Jeanne Lapointe, qui l'encouragent à écrire. Elle publie son premier roman, *La Belle Bête*, prix de la Langue française (1961).
1960-1961	Grâce à une bourse du Conseil des arts du Canada, elle passe presque un an à Paris.
1960	Elle publie un deuxième roman, *Tête blanche*, remarqué par la critique.

1962 — Elle publie un autre roman, *le Jour est noir*, et, dans les *Écrits du Canada français*, un récit intitulé *les Voyageurs sacrés*.

Elle rencontre le célèbre critique du *New Yorker*, Edmund Wilson, qui lui prête son appui.

1963 — Grâce à l'appui de Edmund Wilson, elle obtient une bourse de la John Simon Guggenheim Memorial Foundation (for creative writing). Elle séjourne à Cambridge (U.S.A.) et s'installe à Cape Cod. C'est à cette époque que s'amorce une longue amitié avec Mary Meigs, qui illustrera *Une saison dans la vie d'Emmanuel*, en 1968, et qui fera une grande place à Marie-Claire Blais dans son récit autobiographique, *la Tête de Méduse*, en 1987.

Elle publie un premier recueil de poésie, *Pays voilés*.

1964 — Elle publie un deuxième recueil de poésie, *Existences*. Les deux recueils seront réunis en 1967.

1965 — Elle obtient une deuxième bourse de création de la John Simon Guggenheim Memorial Foundation.

Elle publie un roman, *Une saison dans la vie d'Emmanuel*.

1966 — Elle obtient le prix France—Québec pour *Une saison dans la vie d'Emmanuel* et, pour le même roman, le prix Médicis, au 6e tour de scrutin. Le jury la préfère à Jean-Louis Gergonzo (*l'Auberge espagnole*) et à Jean-Claude Émery (*Curriculum vitae*). Le roman est traduit par la suite dans une quinzaine de langues (anglais, allemand, hollandais, finlandais, norvégien, danois, italien, polonais, yougoslave, espagnol, japonais, hongrois, tchécoslovaque...).

Elle publie un autre roman, *l'Insoumise.*

1967 Elle publie un roman, *David Sterne.*

1968 Elle publie *Manuscrits de Pauline Archange*, premier tome d'une trilogie, prix du Gouverneur général du Canada, et *l'Exécution*, une première pièce de théâtre, créée au Théâtre du Rideau Vert, le 15 mars, dans une mise en scène d'Yvette Brind'Amour.

1969 Elle publie *Vivre! Vivre!,* deuxième tome de la trilogie.1970

Elle publie *les Apparences*, troisième tome de la trilogie.

1972 Elle s'installe en Bretagne pour quelques années.

Elle esst fait Compagnon de l'Ordre du Canada.

Elle publie *le Loup*, un roman.

1973 Elle publie un roman, *Un joualonais sa joualonie*, réédité à Paris, en 1977, sous le titre *À cœur joual.*

Le cinéaste français Claude Weisz tourne en Auvergne *Une saison dans la vie d'Emmanuel*, d'après le roman du même titre de Marie-Claire Blais, mettant en vedette Germain Montero, Lucien Raimsbourg, Claude Richard, Manuel Pinto et Georges Domergue.

1974 Elle publie *Fièvres et autres textes dramatiques*.

1976 Elle publie *Une liaison parisienne*, un roman.

Elle participe au collectif *la Nef aux sorcières*, créée au Théâtre du Nouveau Monde et publiée la même année.

Elle obtient le prix Belgique—Canada pour l'ensemble de son œuvre.

1977 Elle publie *l'Océan*, suivi de *Murmures*, deux pièces de théâtre, la première créée à la télévision de Radio-Canada, en 1976, dans une réalisation de Jean Faucher; la seconde a été radiodiffusée également à Radio-Canada, le 9 septembre 1977, dans le cadre de l'émission «En première».

1978 Elle publie un autre roman, *les Nuits de l'Underground*.

1979 Elle publie *le Sourd dans la ville*, un roman, prix du Gouverneur général du Canada.

1982 Elle publie un nouveau roman, *Vision d'Anna*.

Elle reçoit le prix David du Gouvernement du Québec pour l'ensemble de son œuvre.

1983 Elle mérite le prix de l'Académie française pour son roman *Visions d'Anna*.

1984 Elle publie *Sommeil d'hiver*, une pièce de théâtre, lue au Festival d'Avignon, en août 1974, dans le cadre du «théâtre ouvert».

1986 Elle publie un roman, *Pierre. La guerre du printemps 81*, réédité à Paris en 1986, sous le titre *Pierre*.

Françoise Laurent publie chez Fides une étude sur l'œuvre narrative de Marie-Claire Blais, *l'Univers romanesque de Marie-Claire Blais*.

1987 La cinéaste Mireille Dansereau tourne *le Sourd dans la ville*, d'après le roman du même titre de Marie-Claire Blais.

1988 Elle publie *l'Île*, une pièce de théâtre, créée au théâtre de l'Eskabel (Montréal), le 26 avril, dans une mise en scène de Jacques Crète.

1989 Elle publie *l'Ange de la solitude*.

1990 Elle reçoit le prix Nessim Habif de l'Académie royale de langue et de littérature françaises de Belgique pour l'ensemble de son œuvre.

Bibliographie[1]

La Belle Bête. Roman, Québec, Institut littéraire du Québec, [1959], 214 p. [Montréal, le Cercle du livre de France ltée, [1968], 157 p. («CLF Poche canadien»)]

Tête blanche. Roman. Québec, Institut littéraire du Québec ltée, [1960], 205 p.

Le Jour est noir. Roman, Montréal, les Éditions du Jour, [1962], 121[2] p. [suivi de *l'Insoumise*, [Montréal, Stanké, 1979], 250[3] p. («Québec 10/10»)].

Pays voilés, préface de Charles Moeller, Québec, Édtions Garneau, [1963], 47 p.

Existences. Poèmes, Québec, Éditions Garneau, [1964], 51 p.

---

1 Nous avons délibérément choisi de donner la première édition de chaque œuvre et, entre crochets, la dernière édition en livre de poche. Nous renvoyons à la bibliographie que nous avons publiée avec la collaboration de Lucie Robert et de Ruth Major-Lapierre, dans *Voix et Images*, vol. VIII, n° 2 (hiver 1983), p. 249-285, surtout aux pages 249-255, où on trouvera une bibliographie complète des œuvres de Marie-Claire Blais, y compris les références aux éditions en langue étrangère. Toutes les œuvres de l'écrivaine ont été traduites en anglais.

Une saison dans la vie d'Emmanuel. Roman, Montréal, les Éditions du Jour, [1965], 128 p. [Montréal, Stanké, 1980], 195 p. («Québec 10/10»)].

L'Insoumise. Roman, Montréal, les Éditions du Jour, [1966], 127 p. [précédé du *Jour est noir*, [Montréal, Stanké, 1979], 250[3] p. («Québec 10/10»)].

David Sterne. Roman, Montréal, les Éditions du Jour, [1967], 127 p.

L'Exécution. Pièce en deux actes, Montréal, les Éditions du Jour, [1968], 118 p.

Manuscrits de Pauline Archange. Roman, Montréal, les Éditions du Jour, [1968], 127 p. [Montréal—Paris, Stanké, [1981], 217[2] p. («Roman 10/10»)].

Les Voyageurs sacrés. Récit, [Montréal], HMH, [1969], 110[2] p. [Parut d'abord dans les *Écrits du Canada français*, n° XIV (1962), p. 193-257].

Vivre! Vivre! Roman, Montréal, les Éditions du Jour, [1969], 170 p. [Montréal et Paris, Stanké, [1981], 178[1] p. («Québec 10/10»)].

Les Apparences. Roman, Montréal, les Éditions du Jour, [1970], 202[1] p. [Montréal—Paris, Stanké, [1981], 215 p. («Québec 10/10»)].

Le Loup. Roman, Montréal, les Éditions du Jour, [1972], 243 p. [[Montréal], Boréal, [1990], 171[3] p. («Boréal compact»)].

Un joualonais sa joualonie. Roman, Montréal, les Éditions du Jour, [1973], 300 p. [Montréal, Stanké, [1979], 307[2] p. («Québec 10/10»)].

Fièvres et autres textes dramatiques. Théâtre radiophonique, Montréal, les Éditions du Jour, [1974], 228[1] p.

Une liaison parisienne. Roman, Montréal, Stanké, 1975, 175 p. [postface de François Ricard, [Montréal], Quinze, [1980], 181 p. (Collection «Présence»)].

L'Océan, suivi de Murmures, Montréal, Quinze, [1977], 166 p.

Les Nuits de l'Underground. Roman, Montréal, Stanké, [1978], 267 p. [[Montréal], Boréal, [1990], 312[3] p. («Boréal Compact»)].

Le Sourd dans la ville, Montréal, Stanké, [1979], 214 p.

Vision d'Anna ou le Vertige. Roman, Montréal—Paris, Stanké, [1982], 174 p. [[Montréal], Boréal, [1990], 205[1] p. («Boréal Compact»)].

Pierre. La guerre du printemps 81. Roman, [Montréal], Primeur, [1984], 165 p.

Sommeil d'hiver, [Montréal], les Éditions de la pleine lune, [1984], 171 p. (Collection «Théâtre et Textes dramatiques»).

L'Île. Théâtre, [Montréal], VLB éditeur, [1988], 84 p.

L'Ange de la solitude. Roman, [Montréal], VLB éditeur, [1989], 135 p.

Aurélien BOIVIN
Département des littératures
Université Laval (Québec)

Table